CHEZ
LES FLAMANDS

GEORGES SIMENON

LE COMMISSAIRE MAIGRET

CHEZ LES FLAMANDS

PRESSES POCKET

© *Georges Simenon, 1978.*

ISBN 2-266-00499-9

1

ANNA PEETERS

QUAND Maigret descendit du train, en gare de Givet, la première personne qu'il vit, juste en face de son compartiment, fut Anna Peeters.

A croire qu'elle avait prévu qu'il s'arrêterait à cet endroit du quai exactement ! Elle n'en paraissait pas étonnée, ni fière. Elle était telle qu'il l'avait vue à Paris, telle qu'elle devait être toujours, vêtue d'un tailleur gris fer, les pieds chaussés de noir, chapeautée de telle sorte qu'il était impossible de se souvenir ensuite de la forme ou même de la couleur de son chapeau.

Ici, dans le vent qui balayait le quai où n'erraient que quelques voyageurs, elle paraissait plus grande, un peu plus forte. Elle avait le nez rouge et elle tenait à la main un mouchoir roulé en boule.

« J'étais sûre que vous viendriez, monsieur le commissaire... »

Etait-elle sûre d'elle ou sûre de lui ? Elle ne

souriait pas pour l'accueillir. Elle questionnait déjà :

« Vous avez d'autres bagages ? »

Non ! Maigret n'avait que son sac à soufflets, en gros cuir culotté et il le portait lui-même, malgré son poids.

Le train n'avait laissé sur le quai que des voyageurs de troisième classe qui avaient déjà disparu. La jeune fille tendait son ticket de quai à l'employé, qui la regarda avec insistance.

Dehors, elle reprit sans embarras :

« J'ai d'abord pensé à vous préparer une chambre à la maison. Puis j'ai réfléchi. Je suppose qu'il vaut mieux que vous descendiez à l'hôtel. Alors, j'ai retenu la meilleure chambre à l'hôtel de la Meuse... »

Ils avaient à peine parcouru cent mètres dans les petites rues de Givet que déjà tout le monde se retournait sur eux. Maigret marchait lourdement, en traînant sa valise à bout de bras. Il essayait de tout observer : les gens, les maisons et surtout sa compagne.

« Quel est ce bruit ? questionna-t-il en entendant une rumeur qu'il ne parvenait pas à identifier.

— La Meuse en crue, qui bat les piles du pont... Il y a trois semaines que la navigation est arrêtée... »

En débouchant d'une ruelle, on découvrait soudain le fleuve. Il était large. Ses rives étaient imprécises. Le flot brun, par endroits, s'étalait sur les prairies. Ailleurs, un hangar émergeait de l'eau.

Cent péniches pour le moins, des remorqueurs, des dragues étaient là, serrés l'un contre l'autre, formant un vaste bloc.

« Voici votre hôtel... Il n'est pas très confortable... Désirez-vous vous arrêter pour prendre un bain ?... »

C'était ahurissant ! Maigret était incapable de définir son impression. Jamais, sans doute, une femme n'avait autant éveillé sa curiosité que celle-ci, qui restait calme, sans sourire, sans essayer de paraître jolie, et qui tapotait parfois ses narines de son mouchoir.

Elle devait avoir entre vingt-cinq et trente ans. Beaucoup plus grande que la moyenne, elle avait une charpente solide, une ossature qui enlevait toute grâce à ses traits.

Des vêtements de petite bourgeoise, d'une extrême sobriété. Un maintien calme, presque distingué.

Elle avait l'air de le recevoir. Elle était chez elle. Elle pensait à tout.

« Je n'ai aucune raison de prendre un bain.

— Dans ce cas, voulez-vous venir tout de suite à la maison ? Donnez votre valise au garçon... Garçon !... Portez cette valise au 3... Monsieur viendra tout à l'heure. »

Et Maigret pensait en l'observant du coin de l'œil :

« Je dois paraître idiot ! »

Car il n'avait quand même rien d'un petit garçon ! Si elle n'était pas mièvre, il était deux fois plus large qu'elle et son gros pardessus lui donnait l'air d'être taillé dans la pierre.

« Vous n'êtes pas trop fatigué ?

— Je ne suis pas fatigué du tout !

— Dans ce cas, je peux déjà, chemin faisant, vous donner les premières indications... »

Les premières indications, elle les lui avait données à Paris ! Un beau jour, en arrivant à son bureau, il avait trouvé cette inconnue qui l'attendait depuis deux ou trois heures et que le garçon n'était pas parvenu à décourager.

« C'est personnel ! » avait-elle affirmé comme il la questionnait devant deux inspecteurs.

Et, une fois en tête à tête, elle lui avait tendu une lettre. Maigret avait reconnu l'écriture d'un cousin de sa femme qui habitait Nancy.

Mon cher Maigret,
Mlle Anna Peeters m'est recommandée par mon beau-frère qui l'a connue voilà une dizaine d'années. C'est une jeune fille très sérieuse, qui te racontera elle-même ses malheurs. Fais ce que tu pourras pour elle...

« Vous habitez Nancy ?

— Non, Givet !

— Pourtant, cette lettre...

— Je suis allée à Nancy tout exprès, avant de

10

venir à Paris. Je savais que mon cousin connaissait quelqu'un d'important à la police... »

Ce n'était pas une solliciteuse banale. Elle ne baissait pas les yeux. Sa contenance était sans humilité. Elle parlait net et regardait droit devant elle, comme pour réclamer son dû.

« Si vous n'acceptez pas de vous occuper de nous, nous sommes perdus, mes parents et moi, et ce sera la plus odieuse erreur judiciaire... »

Maigret avait pris quelques notes résumant son récit. Une histoire de famille assez embrouillée.

Les Peeters, qui tenaient une épicerie à la frontière belge... Trois enfants : Anna, qui les aidait dans leur commerce, Maria, qui était institutrice, et Joseph, étudiant en Droit à Nancy...

Joseph avait eu un enfant d'une jeune fille du pays... L'enfant avait trois ans... Or, la jeune fille avait soudain disparu et on accusait les Peeters de l'avoir tuée ou de la séquestrer...

Maigret n'avait pas à se mêler de cela. Un collègue de Nancy était sur l'affaire. Il lui avait télégraphié et en avait reçu une réponse catégorique :

Peeters archi-coupables Stop Arrestation prochaine

Cela l'avait décidé. Il arrivait à Givet, sans aucune mission, sans titre officiel. Et, dès la gare, il tombait sous la tutelle de cette Anna, qu'il ne se lassait pas d'observer.

* *

Le courant était violent. Le flot formait des cascades bruyantes à chaque pile du pont et charriait des arbres entiers.

Le vent, qui s'engouffrait dans la vallée de la Meuse, prenait le fleuve à rebrousse-poil, soulevait l'eau à des hauteurs inattendues et créait de vraies vagues.

Il était trois heures de l'après-midi. La nuit s'annonçait.

Il y avait des courants d'air dans les rues presque désertes. Les rares passants marchaient vite et Anna n'était pas la seule à se moucher.

« Regardez cette ruelle, à gauche... »

La jeune fille marquait un temps d'arrêt, discrètement, désignait d'un geste à peine perceptible la seconde maison de la ruelle. Une maison pauvre, à un seul étage. Il y avait déjà de la lumière — celle d'une lampe à pétrole — à une fenêtre.

« C'est là qu'elle habite !

— Qui ?

— Elle ! Germaine Piedbœuf... La fille qui...

— Celle à qui votre frère a fait un enfant ?

— Si c'est de lui ! Ce n'est même pas prouvé... Regardez !... »

Sur un seuil, on voyait un couple : une fille

sans chapeau, une petite ouvrière d'usine sans doute, et le dos d'un homme qui l'étreignait.

« C'est elle ?

— Non, puisqu'elle a disparu... Mais c'est la même race... Vous comprenez ?... Elle est parvenue à faire croire à mon frère...

— L'enfant ne lui ressemble pas ? »

Et elle, sèchement :

« Il ressemble à sa mère... Venez ! Ces gens-là sont toujours à l'affût derrière leurs rideaux...

— Elle a de la famille ?

— Son père, qui est gardien de nuit à l'usine, et son frère Gérard... »

La petite maison, et surtout la fenêtre éclairée par la lampe à pétrole, étaient désormais gravées dans la mémoire du commissaire.

« Vous ne connaissez pas Givet ?

— J'y suis passé une fois sans m'arrêter. »

Un quai interminable, très large, avec de vingt en vingt mètres des bittes d'amarrage pour les péniches. Quelques entrepôts. Un bâtiment bas surmonté d'un drapeau.

« La douane française... Notre maison est plus loin, près de la douane belge... »

Le clapotis était si rageur que les chalands s'entrechoquaient. Des chevaux en liberté broutaient l'herbe rare.

« Vous voyez cette lumière ?... C'est chez nous... »

Un douanier les regarda passer sans rien dire.

Dans un groupe de mariniers, on se mit à parler flamand.

« Qu'est-ce qu'ils disent ? »

Elle hésita à répondre, détourna la tête pour la première fois.

« Qu'on ne saura jamais la vérité ! »

Et elle marcha plus vite, contre le vent, en se courbant pour donner moins de prise.

Ce n'était plus la ville. C'était le domaine de la rivière, des bateaux, de la douane, des affréteurs. Par-ci, par-là, une lampe électrique allumée, en plein vent. Du linge qui claquait sur une péniche. Des gosses qui jouaient dans la boue.

« Votre collègue est encore venu hier chez nous et nous a annoncé de la part du juge d'instruction que nous devions nous tenir à la disposition de la Justice... C'est la quatrième fois que tout est fouillé, même la citerne... »

On arrivait. La maison des Flamands se précisait. C'était une construction assez importante, au bord du fleuve, à l'endroit où les bateaux étaient le plus nombreux. Aucune maison proche. Le seul bâtiment en vue, à cent mètres, était le bureau de la douane belge, flanqué d'un poteau tricolore.

« Si vous voulez vous donner la peine d'entrer... »

Sur les vitres de la porte, des réclames transparentes pour des pâtes à nettoyer les cuivres. Une sonnette tinta.

14

Et, dès le seuil, on était enveloppé de chaleur, d'une atmosphère indéfinissable, quiète, sirupeuse, où les odeurs dominaient. Mais quelles odeurs ? Il y avait une pointe de cannelle, une note plus grave de café moulu. Cela sentait aussi le pétrole, mais avec des relents de genièvre.

Une ampoule électrique, une seule. Derrière le comptoir de bois peint en brun sombre, une femme aux cheveux blancs, au corsage noir, qui parlait flamand avec une marinière. Et celle-ci avait un enfant sur le bras.

« Voulez-vous venir par ici, monsieur le commissaire... »

Maigret avait eu le temps de voir des rayons bourrés de marchandises. Il avait noté surtout, au bout du comptoir, une partie recouverte de zinc, des bouteilles surmontées de becs en étain et contenant de l'eau-de-vie.

Il n'avait pas le temps de s'arrêter. Une autre porte vitrée, garnie d'un rideau. On traversait la cuisine. Un vieillard était assis dans un fauteuil d'osier, tout contre le fourneau.

« Par ici... »

Un couloir plus froid. Une autre porte. Et c'était une pièce inattendue, mi-salon, mi-salle à manger, avec un piano, une boîte à violon, un parquet ciré avec soin, des meubles confortables, des reproductions de tableaux sur les murs.

« Donnez-moi votre pardessus... »

La table était dressée : une nappe à grands

carreaux, des couverts en argent, des tasses de fine porcelaine.

« Vous prendrez bien quelque chose… »

Le manteau de Maigret était déjà dans le corridor et Anna revenait, en chemisier de soie blanche qui la rendait moins jeune fille encore.

Et pourtant elle avait des formes pleines. Pourquoi, dès lors, ce manque de féminité ? On ne l'imaginait pas amoureuse. On imaginait moins un homme amoureux d'elle !

Tout devait être préparé d'avance. Elle apportait une cafetière fumante. Elle en remplissait trois tasses. Après une nouvelle disparition, elle revenait avec une tarte au riz.

« Asseyez-vous, monsieur le commissaire… Ma mère va venir…

— C'est vous qui jouez du piano ?

— Moi et ma sœur… Mais elle a moins le temps que moi… Le soir, elle corrige les devoirs.

— Et le violon ?

— Mon frère…

— Il n'est pas à Givet ?

— Il sera ici tout à l'heure… Je l'ai prévenu de votre arrivée… »

Elle découpait la tarte. Elle servait le visiteur, d'autorité. Mme Peeters entrait, les mains jointes sur le ventre, en esquissant un timide sourire d'accueil, un sourire tout plein de mélancolie et de résignation.

« Anna me dit que vous avez bien voulu… »

Elle était plus flamande que sa fille et elle gardait un léger accent. Pourtant elle avait des traits très fins et ses cheveux d'un blanc surprenant n'étaient pas sans lui donner une certaine noblesse. Elle s'assit au bord de sa chaise, en femme habituée à être dérangée.

« Vous devez avoir faim, après ce voyage... Moi, je n'ai plus aucun appétit depuis que... »

Maigret pensait au vieux qui était resté dans la cuisine. Pourquoi ne venait-il pas manger de la tarte aussi ? Juste à ce moment, Mme Peeters disait à sa fille :

« Porte un morceau à ton père... »

Et, à Maigret :

« Il ne quitte presque plus son fauteuil... C'est à peine s'il se rend còmpte... »

Tout, dans l'atmosphère, était à l'opposé d'un drame. On avait l'impression que les pires événements pouvaient survenir au-dehors sans troubler la quiétude de la maison des Flamands, où il n'y avait pas un grain de poussière, pas un souffle d'air, pas d'autre bruit que le ronflement du poêle.

Et Maigret questionnait en mangeant de la tarte épaisse :

« Quel jour était-ce exactement ?

— Le 3 janvier... Un mercredi...

— Nous sommes le 20...

— Oui, on ne nous a pas accusés tout de suite...

— Cette jeune fille... Comment l'appelez-vous ?

— Germaine Piedbœuf... Elle est venue vers huit heures du soir... Elle est entrée dans le magasin et c'est ma mère qui l'a reçue...

— Qu'est-ce qu'elle voulait ? »

Mme Peeters fit mine d'écraser une larme sur sa paupière.

« Comme toujours... Se plaindre que Joseph n'allait pas la voir, ne lui donnait pas de ses nouvelles... Un garçon qui travaille tant !... Il a du mérite, je vous assure, de continuer ses études malgré tout...

— Elle est restée longtemps ici ?

— Peut-être cinq minutes... Je devais lui dire de ne pas crier... Les mariniers auraient pu entendre... Anna est arrivée et lui a dit qu'elle ferait mieux de s'en aller...

— Elle est partie ?

— Anna l'a conduite dehors... Je suis rentrée dans la cuisine et j'ai débarrassé la table...

— Dès lors, vous ne l'avez pas revue ?

— Jamais !

— Personne, dans le pays, ne l'a rencontrée ?

— Ils disent tous que non !

— Elle n'a pas menacé de se suicider ?

— Non ! Ces femmes-là, ça ne se tue pas... Encore un peu de café ?... Un morceau de tarte ?... C'est Anna qui l'a faite... »

Un nouveau trait, qui s'ajoutait à l'image d'Anna. Elle était placide sur sa chaise. Elle observait le commissaire comme si les rôles eussent été renversés, comme si elle eût appartenu, elle, au quai des Orfèvres, et lui à la maison des Flamands.

« Vous souvenez-vous de ce que vous avez fait ce soir-là ? »

Ce fut Anna qui répondit, avec un triste sourire.

« On nous a tant questionnées à ce sujet qu'il a bien fallu se rappeler les moindres détails. En rentrant, je suis montée dans ma chambre pour prendre de la laine à tricoter... Quand je suis descendue, ma sœur était au piano, dans cette pièce, et Marguerite venait d'arriver...

— Marguerite ?

— Notre cousine... La fille du docteur Van de Weert... Ils habitent Givet... Autant vous dire tout de suite, car on vous l'apprendra quand même, que c'est la fiancée de Joseph... »

Mme Peeters se leva en soupirant, parce que la sonnette du magasin avait tinté. On l'entendit parler flamand, d'une voix presque enjouée, et peser des haricots ou des pois.

« C'est la grande douleur de ma mère... De tout temps, il avait été décidé que Joseph et Marguerite se marieraient... Ils étaient déjà fiancés à seize ans... Mais Joseph devait terminer ses études... C'est alors qu'il y a eu cet enfant...

— Et, malgré cela, ils comptaient se marier ?

— Non ! Seulement Marguerite ne voulait

épouser personne d'autre... Ils s'aimaient toujours...

— Germaine Piedbœuf le savait ?

— Oui ! Mais elle tenait à se faire épouser,
elle ! Si bien que mon frère, pour avoir la paix,
avait promis... Le mariage devait avoir lieu
après les examens... »

Et la sonnette de la boutique résonnait,
Mme Peeters trottait à travers la cuisine.

« Je vous demandais l'emploi de la soirée du
3...

— Oui... Je disais donc que quand je suis
descendue ma sœur et Marguerite étaient dans
cette pièce... On a fait du piano jusqu'à dix
heures et demie... Mon père était couché depuis
neuf heures, comme d'habitude... Ma sœur et
moi avons reconduit Marguerite jusqu'au
pont...

— Et vous n'avez rencontré personne ?

— Personne... Il faisait froid... Nous sommes
rentrées... Le lendemain, on ne se doutait de
rien... Dans l'après-midi, on a parlé de la
disparition de Germaine Piedbœuf... Deux jours
après, seulement, on a pensé à nous accuser,
parce que quelqu'un l'avait vue entrer ici... Le
commissaire de police nous a fait appeler, puis
votre collègue de Nancy... Il paraît que M. Piedbœuf a porté plainte... On a fouillé la maison, la
cave, les remises, tout... On a même retourné la
terre du jardin...

— Votre frère n'était pas à Givet, le 3 ?

— Non ! Il ne vient que le samedi, en moto…
Rarement un autre jour de la semaine… Toute
la ville est contre nous, parce que nous sommes
des Flamands et que nous avons de l'argent… »

Une nuance d'orgueil dans la voix. Ou plutôt
un surcroît d'assurance.

« Vous ne pouvez pas imaginer tout ce que
l'on a inventé… »

A nouveau la sonnerie du magasin, puis une
voix jeune :

« C'est moi !… Ne vous dérangez pas… »

Des pas pressés. Une silhouette très féminine
s'engouffrant dans la salle à manger, s'arrêtant
brusquement devant Maigret.

« Oh ! pardon… Je ne savais pas…

— Le commissaire Maigret, qui vient nous
aider… Ma cousine Marguerite… »

Une petite main gantée dans la patte de
Maigret. Et un sourire intimidé.

« Anna m'a dit que vous acceptiez… »

Elle était très fine, plus fine encore que jolie.
Son visage s'encadrait de cheveux blonds, aux
menues ondulations.

« Il paraît que vous faisiez du piano…

— Oui… Je n'aime que la musique… surtout
quand je suis triste… »

Et son sourire faisait penser à celui des jolies
filles sur les calendriers-réclames. Lèvres étirées
en une moue, regard voilé, visage un peu
penché…

« Maria n'est pas rentrée ?

« — Non ! son train doit encore avoir du retard. »

La chaise trop frêle craqua quand Maigret voulut croiser les jambes.

« A quelle heure êtes-vous arrivée, le 3 ?

— A huit heures et demie… Peut-être un peu plus tôt… Nous dînons tôt… Mon père avait des amis pour le bridge…

— Il faisait le même temps qu'aujourd'hui ?

— Il pleuvait… Il a plu durant toute une semaine…

— La Meuse était déjà en crue ?

— Cela commençait… Mais les barrages n'ont été renversés que le 5 ou le 6… Il y avait encore des trains de bateaux qui circulaient…

— Un morceau de tarte, monsieur le commissaire ?… Non ?… Alors, un cigare ?… »

Anna tendit une boîte de cigares belges et murmura comme pour s'excuser :

« Ce n'est pas de la fraude… Une partie de la maison est en Belgique et une partie en France…

— En somme, votre frère, tout au moins, est entièrement hors de cause, puisqu'il se trouvait à Reims… »

Et Anna, le front têtu :

« Même pas ! A cause d'un ivrogne, qui prétend avoir vu passer sa moto sur le quai… Il a raconté cela quinze jours plus tard… Comme s'il pouvait se souvenir !… C'est un coup de Gérard, le frère de Germaine Piedbœuf… Il n'a pas

22

grand-chose à faire... Alors, il passe son temps à chercher des témoignages... Pensez qu'ils veulent se constituer partie civile et réclamer trois cent mille francs...

— Où est l'enfant ? »

On entendait Mme Peeters se précipiter dans la boutique où la sonnerie avait retenti. Anna rangeait la tarte dans le buffet, posait la cafetière sur le poêle.

« Chez eux ! »

Et la voix d'un marinier qui commandait du genièvre éclatait derrière la cloison.

2

L'ÉTOILE POLAIRE

MARGUERITE VAN DE WEERT fouillait fébrilement son sac à main, pressée de montrer quelque chose.

« Tu n'as pas encore reçu *L'Echo de Givet* ? »

Et elle tendait à Anna une coupure de journal. Elle avait un sourire modeste aux lèvres. Anna passait le papier à Maigret.

« Qui est-ce qui t'a donné l'idée ?

— C'est moi, hier, par hasard. »

Ce n'était qu'une annonce :

« Prière au motocycliste qui est passé le 3 janvier au soir sur la route de Meuse de se faire connaître. Bonne récompense. S'adresser épicerie Peeters. »

« Je n'ai pas osé donner mon adresse, mais... »

Il sembla à Maigret qu'Anna regardait sa

cousine avec une pointe d'impatience tout en murmurant :

« C'est une idée... Mais personne ne viendra... »

Et Marguerite qui attendait avec tant d'émoi des félicitations !

« Pourquoi ne viendrait-il pas ? Si une moto est passée, il n'y a pas de raison, puisque ce n'est pas Joseph... »

Les portes étaient ouvertes. De l'eau commençait à chanter dans la bouilloire de la cuisine. Mme Peeters mettait la table pour le dîner. Ce fut du seuil du magasin que des bruits de voix arrivèrent et du coup les deux jeunes filles tendirent l'oreille.

« Entrez, je vous en prie... Je n'ai rien à vous dire, mais...

— Joseph ! » balbutia Marguerite en se levant.

C'était de la ferveur plus encore que de l'amour qu'il y avait dans son accent. Elle en était transfigurée. Elle n'osait pas se rasseoir. Le souffle suspendu, elle attendait, si bien que tout laissait croire que c'était une sorte de surhomme qui allait apparaître.

La voix s'élevait maintenant dans la cuisine.

« Bonjour, mère... »

Et une autre voix, inconnue de Maigret :

« Vous m'excuserez, madame, mais j'ai quelques vérifications à faire et j'ai profité du passage de votre fils... »

26

Les deux hommes faisaient enfin face à la salle à manger. Joseph Peeters fronçait imperceptiblement les sourcils, murmurait avec une douceur gênante :

« Bonjour, Marguerite… »

Elle lui prenait, elle, la main entre ses deux mains.

« Pas trop fatigué, Joseph ?… Le moral est bon ?… »

Mais Anna, plus calme, s'adressait au second personnage, lui désignait Maigret.

« Le commissaire Maigret, que vous devez connaître…

— Inspecteur Machère… dit l'autre en tendant la main. C'est vrai que vous… »

Mais on ne pouvait converser ainsi, tous debout entre la porte et la table encore servie.

« Je suis ici à titre purement officieux… grommela Maigret. Surtout, faites comme si je n'existais pas… »

On lui touchait le bras.

« Mon frère Joseph… Le commissaire Maigret… »

Et Joseph tendait une longue main osseuse et froide. Il avait une demi-tête de plus que Maigret, qui mesurait pourtant un mètre quatre-vingts. Mais il était si étroit qu'on avait l'impression que, malgré ses vingt-cinq ans, sa croissance n'était pas terminée.

Un nez aux narines pincées. Des yeux fatigués, très cernés. Des cheveux blonds coupés court. Il devait avoir mauvaise vue, car ses paupières battaient sans cesse comme pour fuir la lumière de la lampe.

« Enchanté, monsieur le commissaire... je suis confus... »

Il n'était même pas élégant. Il retirait un imperméable graisseux sous lequel il portait un complet d'un gris neutre, d'une coupe quelconque.

« Je l'ai rencontré près du pont ! disait l'inspecteur Machère, et je lui ai demandé de m'amener ici derrière sa moto... »

C'est vers Anna qu'il se tourna ensuite. C'est à elle qu'il s'adressa désormais, comme si elle eût été la véritable maîtresse de maison. On ne voyait ni Mme Peeters, ni son mari, tassé dans le fauteuil d'osier de la cuisine.

« Je suppose qu'on accède facilement au toit ? »

Tout le monde se regarda.

« Par la lucarne du grenier ! répliqua Anna. Vous voulez ?...

— Oui ! Je désire jeter un coup d'œil là-haut... »

Ce fut, pour Maigret, l'occasion de visiter la maison. L'escalier était verni, recouvert d'un linoléum ciré avec tant de soin qu'il fallait prendre des précautions pour ne pas glisser.

Au premier étage, un palier avec les portes de trois chambres. Joseph et Marguerite étaient restés en bas. Anna marchait la première et le commissaire remarqua qu'elle roulait légèrement les hanches.

« Il faudra que je vous parle ! murmura l'inspecteur.

— Tout à l'heure ! »

Et ils atteignirent le second étage. D'un côté, une mansarde, transformée en chambre, mais inoccupée. De l'autre, un immense grenier aux poutres apparentes où s'entassaient des caisses et des sacs de marchandises. Pour atteindre la lucarne, l'inspecteur dut grimper sur deux caisses.

« Vous n'avez pas de lumière ?

— J'ai ma lampe électrique... »

C'était un homme jeune, au visage tout rond, jovial, à l'activité inlassable. Maigret ne grimpa pas sur le toit mais regarda par la lucarne. Le vent soufflait en rafales. On entendait le grondement du fleuve et on apercevait dans la nuit sa face houleuse que quelques becs de gaz piquetaient de lumières.

A gauche, sur la corniche, il y avait un réservoir de zinc, de deux mètres cubes pour le moins, vers lequel le policier se dirigea sans hésiter. Il devait être destiné à recueillir les eaux de pluie.

Machère se pencha, parut désappointé, se promena encore quelques instants sur le toit, se pencha pour ramasser quelque chose.

Anna attendait sans rien dire, dans l'obscurité, derrière Maigret. On revit les jambes de l'inspecteur, puis son torse, enfin son visage.

« Une cachette à laquelle je n'ai pensé que cet après-midi, en constatant que les gens de mon hôtel ne boivent que de l'eau de pluie... Mais le cadavre n'y est pas...

— Qu'est-ce que vous avez ramassé ?

— Un mouchoir... Un mouchoir de femme... »

Il le déploya, l'éclaira de sa lampe, chercha en vain une initiale. Le mouchoir, crasseux, était resté longtemps exposé aux intempéries.

« On verra ça plus tard ! » soupira l'inspecteur en marchant vers la porte.

***

Quand on pénétra à nouveau dans la chaude atmosphère de la salle à manger, Joseph Peeters était assis sur le tabouret du piano et lisait l'annonce que Marguerite venait de lui montrer. Elle était debout devant lui et son chapeau à larges bords, son manteau orné de petits volants accusaient encore ce qu'il y avait en elle de vaporeux.

« Voulez-vous venir me voir ce soir à l'hôtel ? dit Maigret au jeune homme.

— Quel hôtel ?

— L'hôtel de la Meuse ! intervint Anna. Vous nous quittez déjà, monsieur le commissaire ?... J'aurais voulu vous retenir à dîner, mais... »

30

Maigret traversait la cuisine. Mme Peeters le regardait avec stupeur.

« Vous partez ? »

Le vieillard, lui, avait les yeux vides. Il fumait une pipe en écume, sans penser à rien d'autre. Il ne salua même pas.

Dehors, c'était le vent, le bruit du flot grossi de la Meuse, les heurts des bateaux amarrés côte à côte. L'inspecteur Machère se hâtait de changer de place, parce qu'il s'était mis à la droite de Maigret.

« Vous croyez qu'ils sont innocents ?

— Je n'en sais rien. Vous avez du tabac ?

— Je n'ai que du gris... Vous savez qu'on parle beaucoup de vous, à Nancy... Et c'est ce qui m'inquiète... Parce que ces Peeters... »

Maigret s'était arrêté devant les bateaux sur lesquels il laissait errer son regard. Givet, grâce à la crue qui interrompait la navigation, avait l'air d'un grand port. Il y avait plusieurs chalands du Rhin, d'un millier de tonnes, tout en acier noir. Près d'eux, les péniches du Nord, en bois, faisaient figure de jouets vernis.

« Il faudra que j'achète une casquette ! grommela le commissaire qui devait tenir son chapeau melon.

— Qu'est-ce qu'on vous a raconté au juste ? Qu'ils sont innocents, naturellement !... »

Il fallait parler très fort, à cause du vacarme du vent. Givet, à cinq cents mètres, n'était qu'un groupe de lumières. La maison des Flamands se dessinait sur le ciel tourmenté et montrait des fenêtres jaunies par des lueurs douces.

« D'où viennent-ils ?

— Du Nord de la Belgique... Le père Peeters est né au-dessus du Limbourg, à la frontière hollandaise... Il a vingt ans de plus que sa femme, ce qui lui fait, à l'heure qu'il est, dans les quatre-vingts ans... Il était vannier... Il y a quelques années, il exerçait encore son métier, avec quatre ouvriers, dans l'atelier qui se trouve derrière la maison... Maintenant, il est tout à fait gâteux...

— Ils sont riches ?

— On le dit ! La maison est à eux. Ils ont même prêté de l'argent à des mariniers pauvres qui voulaient acheter un bateau... Voyez-vous, commissaire, ce n'est pas la même mentalité que nous... La vieille Peeters a des centaines de mille francs, ce qui ne l'empêche pas de servir la goutte aux clients, comme ils disent... Seulement, le fils va être avocat... La fille aînée a appris le piano... L'autre est régente dans un grand couvent de Namur... C'est mieux qu'institutrice... Comme qui dirait institutrice dans un lycée... »

Et Machère désignait les péniches.

« Là-dedans, il y a la moitié de Flamands... Des gens qui n'aiment pas changer leurs habitudes... Les autres vont dans les bistrots français qui se trouvent près du pont, boivent du vin et des apéritifs... Les Flamands, eux, veulent leur genièvre, quelqu'un qui comprenne leur langue, et tout... Chaque bateau achète des provisions pour une semaine et plus... Et je ne parle pas de la fraude !... Ils sont bien placés pour ça... »

Les pardessus collaient aux corps. Le clapotis était si fort que l'eau jaillissait sur le pont des péniches chargées.

« Ils n'ont pas les mêmes idées que nous... Pour eux, ce n'est pas un bistrot... C'est une épicerie, bien qu'on serve à boire au comptoir... Et les femmes elles-mêmes boivent le coup en faisant leurs provisions... Il paraît que c'est ce qui rapporte le plus...

— Les Piedbœuf... questionna Maigret.

— Des petites gens... Un gardien d'usine... La fille était dactylographe dans la même maison... Le fils y est encore employé...

— Un garçon sérieux ?

— On ne peut pas dire... Il ne travaille pas beaucoup... Il préfère jouer au billard au café de la Mairie... C'est un beau gosse et il le sait...

— La fille ?

— Germaine ?... Elle avait des amoureux... Vous savez, commissaire, une de ces filles qu'on trouve, le soir, dans les coins sombres, avec un homme... N'empêche que l'enfant est bien de Joseph Peeters... Je l'ai vu... Il lui ressemble... Ce qu'on ne peut pas nier, en tout cas, c'est qu'elle soit entrée dans la maison, le 3 janvier, un peu après huit heures du soir et, depuis lors, personne ne l'a revue... »

L'inspecteur Machère parlait net.

« J'ai tout visité... J'ai même fait un relevé détaillé des lieux, avec l'aide d'un architecte... Il n'y avait qu'une chose que j'avais oubliée : le toit... On ne pense pas, d'habitude, qu'on peut cacher un cadavre sur un toit... J'y suis allé, tout à l'heure... J'ai trouvé un mouchoir, mais rien d'autre...

— Et la Meuse ?

— Justement ! J'allais vous en parler... Vous savez, n'est-ce pas, qu'on retrouve presque toujours les noyés aux barrages... Il y en a huit d'ici Namur... Seulement, deux jours après le crime, le fleuve était tellement grossi que les barrages ont été renversés, ce qui arrive chaque hiver... Si bien que Germaine Piedbœuf peut très bien être arrivée en Hollande, sinon à la mer...

— On m'a dit que Joseph Peeters n'était pas ici le soir où...

— Je sais ! Il le prétend... Un témoin a vu une moto ressemblant à la sienne... Il jure que ce n'est pas lui...

— Il n'a pas d'alibi ?

— Il en a et il n'en a pas... Je suis retourné à Nancy tout exprès... Il habite une chambre meublée où il peut rentrer sans être vu de sa logeuse... De plus, il fréquente dans les cafés et dans les bars où les étudiants se retrouvent chaque nuit... Personne ne se souvient exactement si c'est le 3, le 4 ou le 5, qu'il a passé la nuit dans un de ces bars...

— Germaine Piedbœuf a pu se suicider ?

— Ce n'était pas la femme à cela... Une petite personne qui n'avait pas de santé, pas beaucoup de morale, mais qui adorait son fils...

— Il est possible qu'elle ait été victime d'un autre attentat... »

Cette fois, Machère se tut, laissa errer son regard sur les bateaux qui formaient comme un îlot à quelques mètres de la berge.

« J'y ai pensé. J'ai fait une enquête sur chaque marinier... La plupart sont des gens sérieux, qui vivent à bord avec leur famille et leurs enfants... Je n'ai tiqué que sur l'*Etoile Polaire*... Le dernier bateau en amont... Celui qui est le plus sale et qui semble être sur le point de sombrer...

— Qu'est-ce que c'est ?

— Le bateau d'un Belge de Tilleur, près de Liège... Une vieille brute qui a été poursuivie deux fois pour attentat à la pudeur... Le bateau n'est pas entretenu... les compagnies refusent de l'assurer... Il y a eu des tas d'histoires de femmes et de petites filles... Mais pourquoi voulez-vous ?... »

Les deux hommes marchaient à nouveau dans la direction du pont. A mesure qu'ils approchaient, ils pénétraient dans la lumière des lampes de la ville. Ils virent des bistrots à droite, des bistrots français où sévissaient des pianos mécaniques.

« Je le fais surveiller... N'empêche que le témoignage au sujet de la moto...

— A quel hôtel êtes-vous descendu ?

— A l'hôtel de la Gare... »

Maigret tendit la main.

« Je vous reverrai, mon vieux... Bien entendu, c'est vous qui poursuivrez l'enquête... Je ne suis ici qu'en amateur...

— Qu'est-ce que vous voulez que je fasse ?... Si on ne retrouve pas le corps, il n'y a aucune preuve... Et s'il a été jeté à l'eau, on ne le retrouvera jamais... »

Maigret lui serra distraitement la main et, comme ils atteignaient le pont, il pénétra à l'hôtel de la Meuse.

* *

Maigret, tout en dînant, avait noté sur son carnet :

Opinions sur les Peeters.

MACHÈRE. — *Ils ne se considèrent pas comme des bistrots.*

L'HÔTELIER. — *Ce sont des gens qui se prennent pour des gros bourgeois. Est-ce que je pense à faire de mon fils un avocat, moi ?*

UN MARINIER. — *En pays flamand, ils sont tous comme ça !*

Un Autre. — *Ils se tiennent entre eux comme des francs-maçons !*

Et c'était curieux, de la ville, c'est-à-dire du pont constituant le point central de Givet, de regarder du côté des Flamands. On était dans une cité française. Petites rues. Cafés remplis d'amateurs de billard ou de dominos. Odeurs d'apéritifs à l'anis et familiarité générale.

Puis ce morceau de fleuve. Le bâtiment de la douane. Enfin, tout au bout, à la limite de la campagne, la maison des Flamands ; l'épicerie pleine à craquer de marchandises ; le petit zinc pour les buveurs de genièvre ; la cuisine et le vieux gâteux de mari dans son fauteuil d'osier collé au poêle ; la salle à manger et le piano, le violon, les sièges confortables, la tarte faite à la maison, Anna et Marguerite, la nappe à carreaux, Joseph, long, maigre et maladif, arrivant en moto dans une atmosphère d'admiration générale !

L'hôtel de la Meuse était un hôtel pour voyageurs de commerce. Le patron les connaissait tous. Ils avaient leur serviette.

Joseph Peeters y pénétra en étranger, timidement, vers neuf heures, plongea vers le commissaire, balbutia :

« Il y a du nouveau ! »

Seulement tout le monde les regardait et Maigret préféra emmener le jeune homme dans sa chambre.

« Qu'est-ce que c'est ?

« — Vous êtes au courant de l'annonce ?... Un motocycliste s'est présenté... Un garagiste de Dinan, qui est passé ce soir-là, vers huit heures et demie, en face de la maison... »

La valise de Maigret n'était pas encore ouverte. Le commissaire était assis au bord du lit, laissant l'unique fauteuil à son visiteur.

« Vous aimez vraiment Marguerite ?

— Oui... C'est-à-dire...

— C'est-à-dire... ?

— C'est ma cousine ! Je voulais en faire ma femme... C'est décidé depuis longtemps...

— N'empêche que vous avez fait un enfant à Germaine Piedbœuf ! »

Un silence. Puis, à peine balbutié, un faible :
« Oui...

— Vous l'aimiez ?

— Je ne sais pas !

— Vous l'auriez épousée ?

— Je ne sais pas... »

Maigret le voyait en pleine lumière, avec son visage maigre, ses yeux fatigués, ses traits las. Joseph Peeters n'osait pas le regarder en face.

« Comment est-ce arrivé ?

— On se fréquentait, Germaine et moi...

— Et Marguerite ?

— Non ! C'était autre chose...

— Alors ?

— Elle m'a annoncé qu'elle allait avoir un enfant... Je ne savais plus...

— C'est votre mère qui...

— Ma mère et mes sœurs... Elles m'ont prouvé que je n'étais pas le premier, que Germaine avait eu...

— Des aventures ? »

La fenêtre donnait sur le fleuve, à l'endroit précis où il se brisait sur les piles de pont. Et c'était un vacarme continu, puissant.

« Vous aimez Marguerite ? »

Le jeune homme se leva, inquiet, mal à l'aise.

« Qu'est-ce que vous voulez dire ?

— Aimez-vous Marguerite ou Germaine ?

— Je... C'est-à-dire... »

Il avait des gouttes de sueur sur le front.

« Comment voulez-vous que je sache ?... Ma mère avait déjà retenu pour moi un cabinet d'avocat à Reims...

— Pour vous et Marguerite ?

— Je ne sais pas... J'ai connu l'autre dans un bal...

— Germaine ?

— Dans un bal où on me défendait d'aller... Je l'ai reconduite chez elle... En chemin...

— Et Marguerite ?

— Ce n'est pas la même chose... Je...

— Vous n'avez pas quitté Nancy la nuit du 3 au 4 ? »

Maigret en savait assez. Il marchait vers la porte. Il avait jugé son homme : un grand garçon osseux, mais mou de caractère, dont l'orgueil était entretenu par l'admiration de ses sœurs et de sa cousine.

« Qu'est-ce que vous faites depuis lors ?

— Je prépare mon examen... C'est le dernier... Anna m'a télégraphié de venir vous voir... Est-ce que...

— Non ! Je n'ai plus besoin de vous ! Vous pouvez retourner à Nancy. »

Une figure que Maigret n'oublierait pas : les grands yeux clairs que l'inquiétude avait cernés de rouge. Le veston trop droit. Les pantalons avec des poches aux genoux...

Dans le même costume, en y ajoutant seulement un imperméable, Joseph Peeters retournerait à Nancy, sur sa moto, sans dépasser les vitesses prescrites...

Une petite chambre d'étudiant, chez quelque vieille dame besogneuse... Les cours, qu'il ne devait jamais rater... Le café à midi... Le billard le soir...

« Si votre présence m'était utile, je vous préviendrais ! »

Et Maigret, resté seul, s'accouda à la fenêtre, recevant le vent de la vallée, voyant la Meuse se précipiter vers la plaine, apercevant au loin une petite lumière voilée : la maison des Flamands.

Dans l'ombre, un amas confus de bateaux, des mâts, des cheminées, de rondes étraves de péniches.

L'Etoile Polaire en tête...

Il sortit en bourrant sa pipe, en relevant le col

de velours de son pardessus et le vent était tel que, malgré sa masse, il était obligé de se raidir pour résister.

3

L'ACCOUCHEUSE

Comme d'habitude, Maigret était debout
dès huit heures du matin. Les mains dans les
poches du pardessus, la pipe aux dents, il resta
un bon moment immobile en face du pont,
tantôt regardant le fleuve en folie, tantôt laissant
errer son regard sur les passants.

Le vent était aussi violent que la veille. Il
faisait beaucoup plus froid qu'à Paris.

Mais à quoi exactement sentait-on la frontière ? Aux maisons de briques d'un vilain brun
qui étaient déjà des maisons belges, avec leur
seuil de pierre de taille et leurs fenêtres ornées
de pots de cuivre ?

Aux traits plus durs, plus burinés des Wal-
lons ? Aux uniformes kaki des douaniers belges ? Ou encore à la monnaie des deux pays qui
avait cours dans les boutiques ?

En tout cas, c'était nettement caractérisé. On
était à la frontière. Deux races se côtoyaient.

Maigret le sentit mieux que jamais en entrant

dans un bistrot du quai pour boire un grog. Bistrot français. Toute la gamme des apéritifs multicolores. Les murs clairs garnis de miroirs. Et des gens avalant, debout, le coup de blanc du matin.

Ils étaient une dizaine de mariniers autour des patrons de deux remorqueurs. On discutait des possibilités de descendre le fleuve malgré tout.

« Impossible de passer en dessous du pont de Dinant ! Si même on le pouvait, nous serions obligés de prendre quinze francs français la tonne... C'est trop cher... A ce prix-là, il vaut mieux attendre... »

Et on regardait Maigret. Un homme en poussait un autre du coude. Le commissaire était repéré.

« Il y a un Flamand qui parle de s'en aller demain, sans moteur, en se laissant porter par le courant... »

Des Flamands, il n'y en avait pas dans le café. Ils préféraient la boutique des Peeters, toute en bois sombre, avec ses odeurs de café, de chicorée, de cannelle et de genièvre. Ils devaient rester accoudés au comptoir des heures durant, en étirant une conversation paresseuse, en regardant de leurs yeux clairs les réclames transparentes de la porte.

Maigret écoutait ce qui se disait autour de lui. Il apprenait que les mariniers flamands n'étaient pas aimés, moins à cause de leur caractère que parce que, avec leurs bateaux munis de forts moteurs, entretenus comme des batteries de cuisine, ils faisaient la concurrence aux Français, acceptaient du fret à des prix dérisoires.

« Et ils se mêlent encore de tuer des filles ! »

On parlait pour Maigret, en l'observant du coin de l'œil.

« C'est à se demander ce que la police attend pour arrêter les Peeters !... Peut-être qu'ils ont trop d'argent et qu'on hésite... »

Maigret s'en alla, erra encore quelques minutes sur le quai, à regarder l'eau brune qui charriait des branches d'arbres. Dans la petite rue de gauche, il avisa la maison qu'Anna lui avait désignée.

La lumière, ce matin-là, était triste, le ciel d'un gris uniforme. Les gens, qui avaient froid, ne s'attardaient pas dans les rues.

Le commissaire s'approcha du seuil, tira le cordon de sonnette. Il était un peu plus de huit heures et quart. La femme qui ouvrit la porte devait être occupée à quelque grand nettoyage, car elle s'essuyait les mains à son tablier mouillé.

« C'est pour qui ? »

Au fond du corridor, on apercevait une cuisine et, au milieu, un seau et une brosse.

« M. Piedbœuf est ici ? »

Elle le regarda des pieds à la tête, avec méfiance.

« Le père ou le fils ?

— Le père.

— Vous êtes sans doute de la police ?... Alors

vous devriez savoir qu'à cette heure-ci il est couché, vu qu'il est gardien de nuit et qu'il ne rentre jamais avant sept heures du matin... Maintenant, si vous voulez monter...

— Ce n'est pas la peine. Et le fils ?

— Il y a dix minutes qu'il est parti pour son bureau. »

Il y eut dans la cuisine le bruit d'une cuiller qui tombait. Maigret aperçut un peu de la tête d'un enfant...

« Ce n'est par hasard pas... commença-t-il.

— C'est le fils de la pauvre Mlle Germaine, oui ! Entrez ou sortez ! Vous refroidissez toute la maison... »

Le commissaire entra. Les murs du corridor étaient peints en faux marbre. La cuisine était en désordre et la femme grommelait des choses confuses en ramassant son seau et sa brosse.

Sur la table, des tasses et des assiettes sales. Un gamin de deux ans et demi était assis, tout seul et mangeait un œuf à la coque, maladroitement, en se barbouillant de jaune.

La femme devait avoir une quarantaine d'années. Elle était maigre, avec un visage ascétique.

« C'est vous qui l'élevez ?

— Depuis qu'ils ont tué sa mère, c'est moi qui le garde la plupart du temps, oui ! Le grand-père est obligé de dormir la moitié de la journée. Il n'y a personne d'autre dans la maison. Et, quand j'ai des clientes à aller voir, il faut que je le confie à une voisine.

— Des clientes ?

— Je suis accoucheuse diplômée. »

Elle avait retiré son tablier à carreaux, comme si celui-ci lui eût enlevé de sa dignité.

« N'aie pas peur, mon petit Jojo ! » dit-elle à l'enfant qui regardait le visiteur et avait cessé de manger.

Ressemblait-il à Joseph Peeters ? C'était difficile à dire. C'était en tout cas un enfant débile. Il avait les traits irréguliers, la tête trop grosse, le cou maigre et surtout une bouche mince et longue qui paraissait être la bouche d'un enfant de dix ans pour le moins.

Son regard ne quittait pas Maigret, mais n'exprimait rien. Il n'exprima pas davantage de sentiment quand la sage-femme éprouva le besoin de l'embrasser, d'une façon peut-être un peu théâtrale, en s'écriant :

« Le pauvre chou ! Mange ton œuf, mon chéri ! »

Elle n'avait pas invité Maigret à s'asseoir. Il y avait de l'eau par terre et une soupe sur le fourneau.

« C'est sans doute vous qu'on est allé chercher à Paris. »

La voix n'était pas encore agressive, mais elle était loin d'être aimable.

« Que voulez-vous dire ?

— Ici, c'est inutile de faire des mystères ! Tout se sait !

— Expliquez-vous.

— Puisque vous le savez aussi bien que moi ! De la belle besogne que vous avez acceptée là !... Mais la police n'est-elle pas toujours du côté des riches ?... »

Maigret avait froncé les sourcils, non à cause de cette accusation toute gratuite, mais à cause de ce que les phrases de l'accoucheuse révélaient.

« Ce sont les Flamands eux-mêmes qui ont annoncé à tout le monde qu'on pouvait les inquiéter pour l'instant, mais que cela ne durerait pas et que les choses changeraient quand je ne sais quel commissaire arriverait de Paris ! »

Elle eut un méchant sourire.

« Parbleu ! On leur a donné tout le temps de préparer leurs mensonges ! Ils savent fort bien qu'on ne retrouvera jamais le corps de Mlle Germaine ! Mange mon petit. Ne t'inquiète pas... »

Et elle avait les paupières humides en regardant le gosse qui tenait sa cuiller en l'air, sans quitter Maigret des yeux.

« Vous n'avez rien de particulier à m'apprendre ? questionna le commissaire.

— Rien du tout ! Les Peeters ont dû vous donner tous les renseignements que vous désiriez et ils ont même dû vous dire que l'enfant n'est pas de leur Joseph ! »

Etait-ce la peine d'insister ? Maigret était l'ennemi. Il flottait dans la maison pauvre comme une atmosphère de haine.

« Maintenant, si vous voulez voir M. Piedbœuf, vous n'avez qu'à revenir vers midi… C'est l'heure où il se lève et où M. Gérard rentre du bureau… »

Elle le reconduisait le long du corridor, refermait la porte derrière lui. Au premier étage, les stores étaient baissés.

*
* *

Maigret trouva l'inspecteur Machère à proximité de la maison des Flamands, en conversation avec deux mariniers qu'il quitta en apercevant le commissaire.

« Qu'est-ce qu'ils racontent ?

— Je leur parlais de l'*Etoile Polaire*… Ils croient se souvenir que le 3 janvier le patron a quitté le café des Mariniers vers huit heures et que, comme tous les soirs, il était soûl… A cette heure-ci, il dort encore… Je viens de monter sur son bateau et il ne m'a même pas entendu… »

Derrière les vitres de l'épicerie, on pouvait apercevoir la tête blanche de Mme Peeters qui observait les policiers.

La conversation était décousue. Les deux hommes regardaient autour d'eux sans rien examiner spécialement.

D'un côté, le fleuve aux barrages renversés qui charriait des épaves à une vitesse de neuf kilomètres à l'heure.

De l'autre, la maison.

« Il y a deux entrées ! dit Machère. Celle que

nous voyons et une autre, derrière le bâtiment...
Dans la cour, il y a un puits... »

Il se hâta d'ajouter :

« Je l'ai sondé... Je crois que j'ai tout fouillé... Et pourtant, je ne sais pas pourquoi, j'ai l'impression que le cadavre n'a pas été jeté dans la Meuse... Que faisait ce mouchoir de femme sur le toit ?...

— Vous savez qu'on a retrouvé le motocycliste ?

— On m'a annoncé la nouvelle. Mais cela ne prouve pas que Joseph Peeters n'était pas ici ce soir-là... »

Evidemment ! Il n'y avait aucune preuve, ni pour, ni contre ! Il n'y avait même aucun témoignage sérieux !

Germaine Piedbœuf était entrée dans la boutique vers huit heures. Les Flamands prétendaient qu'elle en était ressortie quelques minutes plus tard, mais personne d'autre ne l'avait vue.

C'était tout !

Les Piedbœuf accusaient et demandaient trois cent mille francs de dommages-intérêts.

Deux femmes de bateliers entraient dans l'épicerie et le timbre résonnait.

« Vous croyez encore, commissaire...

— Je ne crois rien du tout, mon vieux ! A tout à l'heure... »

Il entra à son tour dans la boutique. Les deux clientes se tassèrent pour lui faire place. Mme Peeters cria :

50

« Anna ! »

Et elle s'affaira, ouvrit la porte vitrée de la cuisine.

« Entrez, monsieur le commissaire... Anna vient tout de suite... Elle range les chambres... »

Elle s'occupait à nouveau de ses clientes et le commissaire, traversant la cuisine, s'engageait dans le corridor, montait lentement l'escalier.

Anna ne devait pas avoir entendu. Il y avait du bruit dans une chambre dont la porte était ouverte et Maigret aperçut soudain la jeune fille, un mouchoir noué autour de la tête, occupée à brosser un pantalon d'homme.

Elle vit le visiteur dans la glace, se retourna vivement, laissa tomber la brosse.

« Vous étiez là ? »

Elle restait la même, elle, en tenue négligée du matin. Elle gardait exactement son air de jeune fille bien élevée, un peu distante.

« Excusez-moi... On m'a dit que vous étiez en haut... C'est la chambre de votre frère ?...

— Oui... Il est reparti ce matin à la première heure... L'examen est très dur... Il veut le passer avec la plus grande distinction, comme les précédents... »

Sur un bahut, un grand portrait de Marguerite Van de Weert, en robe claire, coiffée d'un chapeau de paille d'Italie.

Et la jeune fille avait écrit d'une écriture

longue et pointue le commencement de la *Chanson de Solveig* :

> *L'hiver peut s'enfuir...*
> *Le printemps bien-aimé...*
> *Peut s'écouler...*

Maigret avait le portrait à la main. Anna le regardait avec insistance, avec même une pointe de méfiance, comme si elle eût craint un sourire.

« Ce sont des vers d'Ibsen, dit-elle.

— Je sais... »

Et Maigret récita la fin du poème :

> *Moi, je t'attends ici,*
> *O mon beau fiancé,*
> *Jusqu'à mon jour dernier...*

Il faillit sourire, pourtant, parce qu'il regardait le pantalon qu'Anna n'avait pas lâché.

C'était inattendu, saugrenu ou attendrissant, ces vers héroïques dans le décor sombre d'une chambre d'étudiant.

Joseph Peeters, long et maigre, mal habillé, avec ses cheveux blonds que ne parvenait pas à coucher le cosmétique, son nez disproportionné, ses yeux de myope...

> *O mon beau fiancé...*

Et ce portrait de petite provinciale d'une joliesse vaporeuse !

Ce n'était pas le cadre prestigieux du drame d'Ibsen. Elle ne clamait pas sa foi aux étoiles ! Bourgeoisement, elle recopiait des vers au bas d'un portrait.

Moi je t'attends ici

Et elle avait vraiment attendu ! Malgré Germaine Piedbœuf ! Malgré l'enfant ! Malgré les années !

Maigret ressentit une gêne vague. Il regarda la table recouverte d'un buvard vert, avec un encrier en cuivre qui devait être un cadeau et des porte-plume en galalithe.

Machinalement, il ouvrit un des tiroirs du bahut et il vit, dans une boîte en carton sans couvercle, des photographies d'amateur.

« Mon frère a un appareil. »

Des jeunes gens en casquette d'étudiant... Joseph en moto, la main sur la manette des gaz comme pour un départ foudroyant... Anna au piano... Une autre jeune fille, plus mince, plus triste...

« C'est ma sœur Maria. »

Et c'était soudain un petit portrait de passeport, sinistre comme tous les portraits de cette sorte, à cause du contraste brutal des blancs et des noirs.

Une jeune fille, mais si frêle, si menue qu'elle

avait l'air d'une gamine. De grands yeux mangeaient tout le visage. Elle portait un chapeau ridicule et semblait regarder l'appareil avec effroi.

« Germaine, n'est-ce pas ? »

Son fils lui ressemblait.

« Elle était malade ?

— Elle a fait de la tuberculose. Elle n'avait pas beaucoup de santé. »

Anna en avait ! Grande et bien charpentée, elle jouissait surtout d'un équilibre physique et moral déroutant. Elle avait fini par poser le pantalon sur le lit recouvert d'une courtepointe.

« Je viens de chez elle...

— Qu'est-ce qu'ils ont dit ?... Ils ont dû...

— Je n'ai vu qu'une accoucheuse... et le petit... »

Elle ne posa pas de question, comme par pudeur. Il y avait quelque chose de discret dans son maintien.

« Votre chambre est à côté ?

— Oui... Ma chambre, qui est en même temps celle de ma sœur... »

Il y avait une porte de communication que le commissaire ouvrit. L'autre pièce était plus claire, car les fenêtres donnaient sur le quai. Le lit était déjà fait. Il n'y avait pas le plus léger désordre, pas un vêtement sur les meubles.

Rien que deux chemises de nuit bien pliées sur les deux oreillers.

« Vous avez vingt-cinq ans ?

— Vingt-six. »

Maigret avait envie de poser une question. Il ne savait comment le faire.

« Vous n'avez jamais été fiancée ?

— Jamais. »

Mais ce n'est pas tout à fait cela qu'il eût voulu lui demander. Elle l'impressionnait, surtout maintenant qu'il voyait sa chambre. Elle l'impressionnait à la façon d'une statue énigmatique. Il se demandait si ces chairs sans séduction avaient déjà vibré, si elle était autre chose qu'une sœur dévouée, qu'une fille modèle, qu'une maîtresse de maison, qu'une Peeters, si, enfin, sous ces apparences, il y avait une femme !

Et elle ne détournait pas le regard. Elle ne se dérobait pas. Elle devait sentir qu'il scrutait ses lignes autant que ses traits, mais elle n'avait pas un tressaillement.

« Nous ne voyons personne, en dehors de nos cousins Van de Weert... »

Maigret hésita et sa voix n'était pas tout à fait naturelle tandis qu'il disait :

« Je vais vous demander de vous prêter à une expérience... Voulez-vous descendre dans la salle à manger, jouer du piano jusqu'à ce que je vous appelle... Autant que possible, le même morceau que le 3 janvier... Qui jouait ?

— Marguerite... Elle chante en s'accompagnant... Elle a pris des leçons de chant...

— Vous vous souvenez du morceau ?

— C'est toujours le même... La *Chanson de Solveig...* Mais... Je... je ne comprends pas...

— Une simple expérience... »

Elle sortit à reculons, voulut refermer la porte.

« Non ! Laissez-la ouverte. »

Quelques instants plus tard, les doigts couraient négligemment sur le piano, égrenant des accords à peine enchaînés. Et Maigret, sans perdre de temps, ouvrait les armoires de la chambre des jeunes filles.

La première était l'armoire à linge. Des piles régulières de chemises, de pantalons, de jupons bien repassés...

Les accords se liaient. On reconnaissait l'air. Et les gros doigts de Maigret allaient et venaient parmi la lingerie de toile blanche.

Un témoin l'eût pris sans doute pour un amoureux, mieux encore, pour un homme assouvissant quelque passion cachée.

Du gros linge, solide, inusable, sans coquetterie. Celui des deux sœurs devait être mêlé.

Et c'était ensuite le tour d'un tiroir : des bas, des jarretelles, des boîtes d'épingles à cheveux... Pas de poudre... Pas de parfum, hormis un flacon d'eau de Cologne russe qui ne devait servir qu'aux grandes occasions...

Le son s'amplifiait... La maison était remplie de musique... Et peu à peu une voix accompagnait le piano, prenait la première place.

Moi je t'attends ici,
O mon beau fiancé...

Ce n'était pas Marguerite qui chantait ! C'était Anna Peeters ! Elle détachait toutes les syllabes. Elle appuyait avec nostalgie sur certaines phrases.

Les doigts de Maigret couraient toujours. Ils tâtaient des tissus.

Dans une pile de linge, il y eut un froissement qui n'était pas celui de la toile, mais un froissement de papier.

Un portrait encore. Un portrait d'amateur en sépia. Un jeune homme aux cheveux bouclés, aux traits fins, à la lèvre supérieure qui s'avançait dans un sourire confiant, un tantinet ironique.

Maigret ne savait pas qui cela lui rappelait. Mais cela lui rappelait quelque chose.

Jusqu'à mon jour dernier...

Une voix grave, presque une voix masculine qui s'éteignait lentement. Puis un appel :

« Je dois continuer, monsieur le commissaire ? »

Il ferma les portes des armoires, mit la photographie dans la poche de son veston, pénétra vivement dans la chambre de Joseph Peeters.

« Ce n'est pas la peine. »

Il remarqua qu'Anna était plus pâle à son retour. Est-ce qu'elle avait chanté avec trop d'âme ? Son regard examinait la pièce sans rien y trouver d'anormal.

« Je ne comprends pas... Je voudrais vous demander quelque chose, monsieur le commissaire. Vous avez vu Joseph, hier soir... Qu'est-ce que vous pensez de lui ?... Croyez-vous qu'il soit capable... »

Elle avait retiré, en bas sans doute, le fichu qui couvrait sa tête. Maigret eut même l'impression qu'elle s'était lavé les mains.

« Il faut, comprenez-vous, il faut, continuat-elle, que tout le monde reconnaisse son innocence !... Il faut qu'il soit heureux !...

— Avec Marguerite Van de Weert ? »

Elle ne dit rien. Elle soupira.

« Quel âge a votre sœur Maria ?

— Vingt-huit ans... Tout le monde est d'accord pour dire qu'elle deviendra directrice de l'école de Namur... »

Maigret tâtait le portrait dans sa poche.

« Pas d'amoureux ? »

Et la réponse, aussitôt :

« Maria ? »

Cela signifiait :

« Maria, un amoureux ?... Vous ne la connaissez pas !...

— Je vais poursuivre mon enquête ! dit Maigret en se dirigeant vers le palier.

— Vous avez déjà obtenu des résultats ?

— Je ne sais pas. »

Elle le suivit dans l'escalier. En traversant la cuisine, il aperçut le vieux Peeters qui avait pris place dans son fauteuil et qui ne dut même pas le voir.

« Il ne se rend plus compte de rien », soupira Anna.

Dans l'épicerie, il y avait trois ou quatre personnes. Mme Peeters versait du genièvre dans des verres. Elle salua en inclinant le buste, sans lâcher sa bouteille, puis continua à parler flamand.

Elle devait expliquer que le visiteur était le commissaire venu de Paris, car les mariniers se tournèrent vers Maigret avec respect.

Dehors, l'inspecteur Machère était occupé à examiner un bout de terrain où le sol était moins ferme qu'ailleurs.

« Du nouveau ? questionna le commissaire.

— Je ne sais pas ! Je cherche toujours le cadavre ! Parce que, tant qu'on ne mettra pas la main dessus, il sera impossible d'avoir ces gens-là... »

Et il se tourna vers la Meuse avec l'air de dire que le corps n'était pas parti par là.

4

LE PORTRAIT

IL était un peu plus de midi. Maigret, pour la quatrième fois peut-être depuis le matin, longeait la berge. De l'autre côté de la Meuse, il y avait un grand mur d'usine peint à la chaux, une poterne et des douzaines d'ouvriers et d'ouvrières qui sortaient, à pied ou à vélo.

La rencontre eut lieu cent mètres avant le pont. Le commissaire croisa quelqu'un en le regardant en face et quand il se retourna ensuite il vit l'autre se retourner.

C'était l'original du portrait trouvé dans le linge d'Anna.

Une brève hésitation. Ce fut le jeune homme qui fit un pas dans la direction de Maigret.

« Vous n'êtes pas le policier de Paris ?

— Gérard Piedbœuf, sans doute ? »

« Le policier de Paris. » C'était la cinquième ou la sixième fois depuis le matin que Maigret s'entendait appeler ainsi. Et il comprenait très bien la nuance. Son collègue Machère, de

Nancy, était là pour faire l'enquête sans plus. On le regardait aller et venir et quand on avait l'impression de savoir quelque chose on courait le lui dire.

Maigret, lui, était « le policier de Paris », mandé par les Flamands, venu tout exprès pour les laver de tout soupçon. Et, dans la rue, les gens qui le connaissaient déjà le suivaient des yeux sans la moindre sympathie.

« Vous venez de chez moi ?

— J'y suis allé, mais ce matin, de bonne heure et je n'ai vu que votre neveu... »

Gérard n'avait plus tout à fait l'âge du portrait. Si sa silhouette était encore très jeune, jeune aussi sa façon de se coiffer et de s'habiller, on s'apercevait, de près, qu'il avait dépassé le cap des vingt-cinq ans.

« Vous avez à me parler ? »

En tout cas, son défaut n'était pas la timidité. Pas une fois il ne détourna le regard. Il avait les yeux bruns, très brillants, des yeux qui devaient plaire aux femmes, d'autant plus que son teint était mat, ses lèvres bien dessinées.

« Peuh !... J'ai à peine commencé mon enquête...

— Pour le compte des Peeters, je sais ! Tout le pays le sait ! On le savait même avant votre arrivée... Vous êtes un ami de la famille et vous vous faites fort de...

— De rien du tout ! Ah ! votre père se lève... »

On apercevait la petite maison. Au premier étage, le store se soulevait et on devinait la silhouette d'un homme à fortes moustaches grises qui regardait à travers les vitres.

« Il nous a vus ! dit Gérard. Il va s'habiller...

— Est-ce que vous connaissiez personnellement les Peeters ? »

Ils marchaient le long du quai, faisant volteface chaque fois qu'ils arrivaient à une bitte d'amarrage située à cent mètres de l'épicerie. L'air était vif. Gérard portait un pardessus trop mince, mais dont la coupe très cintrée devait le séduire.

« Que voulez-vous dire ?

— Il y a trois ans que votre sœur est la maîtresse de Joseph Peeters. Allait-elle chez lui ? »

L'autre haussa les épaules.

« S'il fallait reprendre tout cela en détail !... D'abord, un peu avant la naissance de l'enfant, Joseph jurait qu'il l'épouserait... Puis le docteur Van de Weert est venu, de la part des Peeters, offrir dix mille francs pour que ma sœur quitte le pays et n'y revienne plus... La première sortie de Germaine, une fois relevée de ses couches, a été pour aller montrer l'enfant aux Peeters... Une scène terrible, car on ne voulait pas la laisser entrer et la vieille la traitait de fille perdue... Enfin, cela a fini par se tasser... Joseph promettait toujours d'épouser... Mais il voulait terminer d'abord ses études...

— Et vous ?

— Moi ? »

Il commença par feindre de ne pas comprendre. Mais, presque aussitôt, il changea d'avis, esquissa un sourire à la fois vaniteux et ironique.

« On vous a raconté quelque chose ? »

Maigret, tout en marchant le long du quai, tira le petit portrait de sa poche, le montra à son compagnon.

« Par exemple ! Si je me doutais que cela existât encore !... »

Il voulut le prendre, mais le commissaire le remit dans son portefeuille.

« C'est elle qui ?... Non ! Ce n'est pas possible... Elle est trop fière pour ça... Du moins, maintenant !... »

Et, pendant toute cette conversation, Maigret ne cessait d'observer son compagnon. Est-ce qu'il était tuberculeux comme sa sœur et sans doute comme le fils de Joseph ? Ce n'était pas sûr ! Mais il avait cette séduction de certains poitrinaires : des traits fins, une peau transparente, des lèvres sensuelles et moqueuses tout ensemble.

Son élégance était celle d'un petit employé et il avait cru devoir mettre un brassard de crêpe à son pardessus beige.

« Vous lui avez fait la cour ?

— C'est une vieille histoire... Cela date du temps où ma sœur n'avait pas encore l'enfant... Il y a au moins quatre ans...

— Continuez...

— Voilà mon père qui vient jeter un coup d'œil au coin de la rue...

— Continuez quand même.

— C'était un dimanche... Germaine devait aller visiter les grottes de Rochefort avec Joseph Peeters... Au dernier moment, on m'a demandé d'y aller, parce qu'une des sœurs était de la partie... Les grottes sont à vingt-cinq kilomètres d'ici... On a déjeuné sur l'herbe... J'étais très gai... Après, les deux couples se sont séparés pour se promener dans les bois... »

Le regard de Maigret pesait toujours sur lui, sans rien exprimer de ses pensées.

« Ensuite ?

— Eh bien ? oui... »

Et Gérard souriait avec fatuité et malice.

« Je ne pourrais même plus dire comment cela s'est fait... Je n'ai pas l'habitude de traîner les choses en longueur... Elle ne s'y attendait pas et... »

Maigret lui posa la main sur l'épaule, questionna avec lenteur.

« C'est vrai, ça ? »

Et il comprit que c'était vrai ! Anna, à ce moment-là, avait vingt et un ans...

« Après ?

— Rien ! Elle est trop moche... En revenant, dans le train, elle me regardait fixement dans les yeux et j'ai bien compris que le mieux à faire était de la laisser tomber...

— Elle n'a pas essayé… ?

— Rien du tout ! Je me suis arrangé pour l'éviter. Elle a senti qu'il n'y avait pas à insister… Seulement, quand nous nous croisons dans la rue, j'ai l'impression que si ses yeux étaient des revolvers… »

On approchait du père Piedbœuf qui, sans faux col, les pieds dans des pantoufles de drap, attendait les deux hommes.

« On me dit que vous êtes venu ce matin… Entrez, je vous en prie… Tu as raconté au commissaire, Gérard… ? »

Maigret s'engagea dans l'escalier étroit dont les marches de bois blanc ne paraissaient pas solides. La même pièce servait de cuisine, de salle à manger et de salon. C'était pauvre et laid. La table était couverte d'une toile cirée à dessins bleus.

« Qui est-ce qui l'aurait tuée ?… commença brutalement Piedbœuf, qu'on sentait d'une intelligence médiocre. Elle est partie ce soir-là en me disant qu'elle n'avait pas encore reçu son mois, ni même des nouvelles de Joseph.

— Son mois ?

— Oui ! Il versait cent francs par mois pour l'entretien de l'enfant… C'est bien le moins et… »

Gérard, qui sentait que son père allait recommencer des jérémiades déjà connues, l'interrompit.

« Cela n'intéresse pas le commissaire ! Ce

qu'il veut, ce sont des faits, des preuves ! Eh bien, moi, j'ai tout au moins la preuve que Joseph Peeters, qui prétend ne pas être venu à Givet ce jour-là, y était... Il est arrivé en moto et...

— Vous voulez parler du témoignage ?... Il ne vaut plus rien... Un autre motocycliste s'est présenté en affirmant que c'est lui qui passait sur le quai un peu après huit heures...

— Ah !... »

Et, agressif :

« Vous êtes contre nous ?

— Je ne suis avec personne ! Je ne suis contre personne ! Je cherche la vérité. »

Mais Gérard ricana, dit à son père, à voix haute :

« Le commissaire n'est venu ici que pour essayer de nous prendre en défaut... Vous m'excuserez, commissaire... Mais il faut que je mange... Je dois gagner ma vie, moi, et mon bureau ouvre à deux heures !... »

A quoi bon discuter ? Maigret jeta un dernier regard autour de lui, aperçut le lit-cage de l'enfant dans la pièce voisine, se dirigea vers la porte.

**

Machère l'attendait à l'hôtel de la Meuse. Les voyageurs de commerce prenaient leur repas dans une petite salle séparée du café par une porte vitrée.

Mais, dans le café même, on pouvait casser la croûte, sans nappe, et il y avait quelques personnes qui mangeaient de la sorte.

Machère n'était pas seul. Un petit homme aux épaules monstrueusement larges, aux longs bras de bossu buvait l'apéritif à sa table et se leva en voyant arriver le commissaire.

« Le patron de l'*Etoile Polaire !* annonça l'inspecteur, qui était très animé. Gustave Cassin... »

Maigret s'assit. Un coup d'œil aux soucoupes lui apprit que ses interlocuteurs en étaient déjà à leur troisième apéritif.

« Cassin a quelque chose à vous raconter... »

Il n'attendait même pas cela ! A peine Machère s'était-il tu qu'il commençait, en se penchant avec importance sur l'épaule du commissaire :

« Faut dire ce qu'on a à dire, pas vrai ?... Seulement, pas besoin de le dire tant qu'on ne vous demande pas de le dire... Comme répétait mon défunt père : pas de zèle !

— Un demi ! » lança Maigret au garçon qui s'approchait.

Et il poussa son chapeau melon en arrière, déboutonna son pardessus. Puis, comme le marinier cherchait ses mots, il grommela :

« Si je ne me trompe, le soir du 3 janvier, vous étiez parfaitement ivre...

— Parfaitement, ce n'est pas vrai !... J'avais bu quelques verres, mais je marchais droit quand même... Et j'ai bien vu ce que j'ai vu...

— Vous avez vu une moto qui arrivait et s'arrêtait devant la maison des Flamands ?

— Moi ?... Jamais de la vie !... »

Machère faisait signe à Maigret de ne pas interrompre l'homme qu'il encourageait du geste.

« J'ai vu une femme sur le quai... Et je vais vous dire laquelle... Celle des deux sœurs qui n'est jamais dans la boutique et qui prend le train tous les jours...

— Maria ?

— Peut-être qu'elle s'appelle ainsi... Une maigre, avec des cheveux blonds... Eh bien, ce n'était pas naturel qu'elle soit dehors, vu qu'il y avait du vent à faire claquer les amarres des bateaux...

— A quelle heure ?

— Quand je suis rentré me coucher... Peut-être vers huit heures... Peut-être un peu plus tard...

— Elle vous a vu, elle ?

— Non ! Au lieu de continuer mon chemin, je me suis collé contre le hangar de la douane, car je pensais qu'elle attendait un amoureux et que j'espérais rigoler...

— En effet ! Vous avez été condamné deux fois pour attentat à la pudeur... »

Cassin sourit, montra toute une rangée de

dents gâtées. C'était un homme sans âge, aux cheveux encore bruns, plantés bas sur le front, mais au visage tout ridé.

Il était très soucieux de l'effet produit et chaque fois qu'il avait prononcé une phrase, il regardait d'abord Maigret, puis l'inspecteur Machère, puis un consommateur qui était derrière lui et qui écoutait la conversation.

« Continuez !

— Elle n'attendait pas d'amoureux. »

Il y eut quand même chez lui une hésitation. Il avala le contenu de son verre d'un trait, cria au garçon :

« La même chose ! »

Et, d'une haleine :

« Elle s'assurait qu'il ne venait personne... Pendant ce temps-là, des gens sortaient de l'épicerie, pas par la boutique, mais par la porte de derrière... Ils portaient quelque chose de long et ils le jetaient dans la Meuse, juste entre mon bateau et *Les Deux Frères,* qui est amarré derrière...

— Combien, garçon ? » questionna Maigret en se levant.

Il ne paraissait pas étonné. Machère en était tout déconfit. Quant au marinier, il ne savait que penser.

« Venez avec moi.

— Où ça ?

— Peu importe. Venez !

— J'attends le verre que j'ai commandé. »

Maigret attendit sans impatience. Il annonça au patron qu'il viendrait déjeuner quelques minutes plus tard et il emmena l'ivrogne vers le quai.

C'était l'heure où celui-ci était désert, car tout le monde était à table. De grosses gouttes de pluie commençaient à tomber.

« A quelle place étiez-vous ? » questionna le commissaire.

Il connaissait le bâtiment de la douane. Il vit Cassin se blottir dans un coin.

« Vous n'avez pas bougé de là ?

— Sûr que non ! Je ne tenais pas à me mêler à cette histoire !

— Donnez-moi votre place ! »

Il n'y resta que quelques secondes, prononça en regardant l'homme au front :

« Il faudra trouver autre chose, mon ami !

— Comment, autre chose ?

— Je dis que votre histoire ne tient pas debout. De cette place-ci, vous ne pouvez voir ni l'épicerie, ni l'espace de fleuve délimité par les deux bateaux.

— Quand je dis que c'était ici, je veux dire...

— Mais non ! Suffit ! Je vous répète de chercher autre chose ! Vous viendrez me voir quand vous aurez trouvé. Et, si ce n'est pas satisfaisant, ma foi, il sera peut-être nécessaire de vous boucler une fois de plus... »

Machère n'en croyait pas ses oreilles. Gêné de

son échec, il s'était collé à son tour au mur et il contrôlait les affirmations du commissaire.

« Evidemment !... » grogna-t-il.

Quant au marinier, il n'essayait même pas de répondre. Il avait baissé la tête. On devinait un regard ironique et méchant fixé sur les pieds de Maigret.

« N'oublie pas ce que je viens de te déclarer : une autre histoire, et plus plausible... Sinon, la prison !... Venez, Machère... »

Et Maigret tourna les talons, se dirigea vers le pont en bourrant sa pipe.

« Vous pensez que ce marinier... ?

— Je pense que ce soir ou demain il viendra nous apporter une nouvelle preuve de la culpabilité des Peeters... »

L'inspecteur Machère perdait pied.

« Je ne comprends plus... S'il a une preuve...

— Il l'aura...

— Mais comment !...

— Est-ce que je sais, moi ?... Il trouvera quelque chose...

— Pour se disculper lui-même ? »

Mais le commissaire laissa tomber la conversation en murmurant :

« Vous avez du feu ?... Voilà vingt allumettes qui...

— Je ne fume pas ! »

Et Machère ne fut pas très sûr d'avoir entendu :

« J'aurais dû m'en douter... »

5

LA SOIRÉE DE MAIGRET

LA pluie avait commencé à tomber vers midi. Au crépuscule, elle crépitait de plus belle sur les pavés. A huit heures, c'était un déluge.

Les rues de Givet étaient désertes. Les péniches luisaient le long du quai. Maigret, le col du pardessus relevé, fonçait vers la maison des Flamands, poussait la porte, déclenchait le timbre qui lui devenait familier et respirait la chaude odeur de l'épicerie.

C'était l'heure à laquelle Germaine Piedbœuf était entrée dans la boutique, le 3 janvier et depuis lors personne ne l'avait revue.

Le commissaire remarqua pour la première fois que la cuisine n'était séparée du magasin que par une porte vitrée. Celle-ci était ornée d'un rideau de tulle, si bien qu'on distinguait vaguement les contours des personnages.

Quelqu'un se levait.

« Ne vous dérangez pas ! » cria Maigret.

Et il entra dans la cuisine, surprenant ainsi sa vie quotidienne. C'était Mme Peeters qui s'était levée pour gagner le magasin. Son mari était dans son fauteuil d'osier, toujours si près du poêle qu'on pouvait craindre de le voir prendre feu. Sa main tenait une pipe d'écume à long tuyau de merisier. Mais il ne fumait plus. Ses yeux étaient clos. Un souffle cadencé s'exhalait de ses lèvres entrouvertes.

Quant à Anna, elle était assise devant la table de bois blanc frottée au sable et polie par les années. Elle faisait des calculs dans un petit calepin.

« Conduis le commissaire dans la salle à manger, Anna...

— Mais non, protesta celui-ci. Je ne fais qu'entrer et sortir...

— Donnez-moi votre manteau... »

Et Maigret s'avisait que Mme Peeters avait une belle voix grave, profonde, cordiale, qu'un léger accent flamand rendait encore plus savoureuse.

« Vous prendrez bien une tasse de café ? »

Il voulut savoir ce qu'elle faisait avant son arrivée. A sa place, il vit des lunettes à monture d'acier, le journal du jour.

La respiration du vieillard paraissait scander la vie de la maison. Anna refermait son calepin, mettait un protège-pointe au crayon, se levait et allait prendre une tasse sur une étagère.

« Vous m'excusez... murmura-t-elle.

— J'espérais faire la connaissance de votre sœur Maria. »

Mme Peeters hocha la tête d'un air douloureux. Anna expliqua :

« Vous ne la verrez pas d'ici quelques jours, à moins d'aller lui rendre visite à Namur. Une de ses collègues, qui habite également Givet, est venue tout à l'heure... Maria descendait du train, ce matin, quand elle s'est foulé la cheville...

— Où est-elle ?

— A l'Ecole... Elle y a droit à une chambre... »

Mme Peeters soupirait en hochant toujours la tête :

« Je ne sais pas ce que nous avons fait au Bon Dieu !

— Et Joseph ?

— Il ne reviendra pas avant samedi... C'est vrai que c'est déjà demain...

— Votre cousine Marguerite ne vous a pas rendu visite ?

— Non ! Je l'ai vue aux Vêpres... »

On versait du café bouillant dans la tasse. Mme Peeters sortait et revenait avec un petit verre, une bouteille de genièvre.

« C'est du vieux Schiedam. »

Il s'assit. Il n'espérait rien apprendre. Peut-être même sa présence était-elle en partie étrangère à l'affaire.

La maison lui rappelait une enquête qu'il avait faite en Hollande, avec pourtant des différences qu'il était incapable de définir. C'était le même calme, la même lourdeur de l'air, la même sensation que l'atmosphère n'est pas fluide, mais constitue un corps solide qu'on va briser en remuant.

De temps en temps l'osier du fauteuil avait un craquement sans que le vieillard eût bougé. Et son souffle rythmait toujours la vie, la conversation.

Anna dit quelque chose en flamand et Maigret, qui en avait appris quelques mots à Delfzijl, comprit à peu près :

« Tu aurais dû donner un plus grand verre... »

Parfois un homme chaussé de sabots passait sur le quai. On entendait la pluie crépiter sur la vitre de la devanture.

« Vous m'avez dit qu'il pleuvait, n'est-ce pas ? Aussi fort qu'aujourd'hui ?...

— Oui... Je pense... »

Et les deux femmes, à nouveau assises, le regardaient saisir son verre et le porter à ses lèvres.

Anna n'avait pas la finesse de traits de sa mère, ni son sourire bienveillant, tout plein d'indulgence. Selon son habitude, elle ne quittait pas Maigret des yeux.

Avait-elle remarqué l'absence du portrait dans sa chambre ? Sans doute que non ! Sinon elle eût été troublée.

« Il y a trente-cinq ans que nous sommes ici, monsieur le commissaire... disait Mme Peeters.

Mon mari s'y est d'abord établi comme vannier, dans la même maison à laquelle, plus tard, on a seulement ajouté un étage... »

Maigret pensait à autre chose, à Anna plus jeune de cinq ans accompagnant Gérard Pied-bœuf aux grottes de Rochefort.

Qu'est-ce qui l'avait poussée dans les bras de son compagnon ? Pourquoi s'était-elle donnée ? Quelles avaient été ses pensées après ?...

Il avait l'impression que c'était la seule aventure de sa vie, qu'elle n'en aurait plus...

C'était un envoûtement que le rythme de vie de cette maison. Le genièvre mettait une chaleur sourde sous le crâne de Maigret. Il percevait les moindres petits bruits, les craquements du fauteuil, le ronflement du vieux, les gouttes de pluie sur un appui de fenêtre...

« Vous devriez me jouer à nouveau le morceau de ce matin... » dit-il à Anna.

Et, comme celle-ci hésitait, sa mère insista :

« Mais oui !... Elle joue bien, n'est-ce pas ?... Elle a pris des leçons pendant six ans, trois fois par semaine, avec le meilleur professeur de Givet... »

La jeune fille quittait la cuisine. Les deux portes restaient ouvertes entre elle et le reste de la famille. Le couvercle du piano claquait.

Quelques notes paresseuses, à la main droite.

« Elle devrait chanter... murmura Mme Peeters. Marguerite chante mieux... On parlait même de lui faire suivre les cours du conservatoire... »

Les notes s'égrenaient dans la maison vide et sonore. Le vieillard ne s'éveillait pas et sa femme, inquiète pour la pipe qu'il pouvait lâcher, la lui prenait délicatement des mains et la pendait à un clou du mur.

Qu'est-ce que Maigret faisait encore là ? Il n'y avait rien à apprendre. Mᵐᵉ Peeters écoutait, tout en regardant son journal sans oser le reprendre. Anna s'accompagnait peu à peu de la main gauche. On devinait que c'était à cette même table que Maria, d'habitude, corrigeait les devoirs de ses élèves.

Et c'était tout !

Sauf que toute la ville accusait les Peeters d'avoir tué Germaine Piedbœuf, par un soir pareil !

Maigret sursauta en entendant la sonnette de la boutique. Un instant il eut la sensation qu'il était plus jeune de trois semaines, que la maîtresse de Joseph allait entrer, réclamer le montant de sa pension, les cent francs qu'on lui versait chaque mois pour l'entretien de l'enfant.

C'était un marinier en ciré, qui tendit une petite bouteille à Mᵐᵉ Peeters, et celle-ci la remplit de genièvre.

« Huit francs !

— Belges ?

— Français ! Dix francs belges... »

Maigret se leva, traversa la boutique.

« Vous partez déjà ?

— Je reviendrai demain. »

Dehors il vit le marinier qui regagnait son bateau. Il se retourna vers la maison. Elle ressemblait, avec sa vitrine lumineuse, à un décor de théâtre, surtout à cause de la musique qui continuait à s'en exhaler douce, sentimentale.

Est-ce que la voix d'Anna ne s'y mêlait pas ?

... Mais tu me reviendras...
ô mon beau fiancé...

Maigret pataugeait dans la boue et la pluie était si drue que sa pipe s'éteignait.

C'était tout Givet maintenant qui lui faisait l'effet d'un décor de théâtre. Le marinier rentré à son bord, il n'y avait plus âme qui vive dehors.

Rien que des lumières tamisées, à quelques fenêtres. Et le bruit de la Meuse en crue qui étouffait peu à peu le chant du piano.

Quand il eut parcouru deux cents mètres, il put voir à la fois, au fond du décor, la maison des Flamands et, au premier plan, l'autre maison, celle des Piedbœuf.

Il n'y avait pas de lumière à l'étage. Mais le corridor était éclairé. L'accoucheuse devait être seule avec l'enfant.

Maigret était maussade. C'était rare qu'il eût à ce point la sensation de l'inutilité de son effort.

Que venait-il faire là, en somme ? Il n'était

pas en service commandé ? Des gens accusaient les Flamands d'avoir tué une jeune femme. Mais on n'était même pas sûr de la mort de celle-ci !

Est-ce que, fatiguée de sa pauvre vie de Givet, elle n'était pas à Bruxelles, à Reims, à Nancy ou à Paris, occupée à boire dans quelque brasserie avec des amis de rencontre ?

Et, si même elle était morte, l'avait-on tuée ? Découragée, n'avait-elle pas été attirée, en sortant de l'épicerie, par le fleuve bourbeux ?

Aucune preuve ! Aucun indice ! Machère qui marchait à fond, mais qui ne trouverait rien, si bien que d'un jour à l'autre le Parquet déciderait sans doute de classer l'affaire.

Alors, pourquoi Maigret se laissait-il mouiller, dans ce décor étranger ?

Juste en face de lui, de l'autre côté de la Meuse, il voyait l'usine dont la cour n'était éclairée que par une lampe électrique. Tout près de la grille, un corps de garde avec de la lumière.

Le père Piedbœuf avait pris son service. Qu'est-ce qu'il faisait, toute la nuit, là-bas ?

Et voilà que, sans savoir au juste pourquoi, le commissaire, les mains enfoncées dans les poches, se dirigeait vers le pont. Dans le café où il avait bu un grog le matin, une douzaine de mariniers et de patrons de remorqueurs parlaient si fort qu'on les entendait du quai. Mais il ne s'arrêta pas.

Le vent faisait vibrer les longerons d'acier du

pont remplaçant le pont de pierre détruit pendant la guerre.

Et, sur l'autre rive, le quai n'était même pas empierré. Il fallait patauger dans la boue. Un chien qui rôdait se colla contre le mur blanchi à la chaux.

Dans la grille fermée, une petite porte était aménagée. Et aussitôt Maigret vit Piedbœuf qui venait coller le visage à la vitre du corps de garde.

« Bonsoir ! »

L'homme portait une vieille veste militaire qu'il avait fait teindre en noir. Il fumait la pipe, lui aussi. Et, au milieu de la pièce, il y avait un petit poêle dont le tuyau, après deux coudes, allait s'enfoncer dans le mur.

« Vous savez qu'on n'a pas le droit...

— D'entrer ici la nuit ! Ça va ! »

Un banc de bois. Une chaise à fond de paille. Le pardessus de Maigret commençait déjà à fumer.

« Vous restez toute la nuit dans cette pièce ?

— Pardon ! Je dois faire trois rondes dans les cours et dans les ateliers. »

De loin, ses grosses moustaches grises pouvaient faire illusion. De près, c'était un bonhomme timide, prêt à se replier sur lui-même, ayant au plus haut point le sens de l'humilité de sa condition. Maigret l'impressionnait. Il ne savait que lui dire.

« En somme, vous vivez toujours seul... La

nuit ici... Le matin dans votre lit... et l'après-midi ?...

— Je fais le jardin !

— Celui de l'accoucheuse ?

— Oui... On partage les légumes... »

Maigret remarqua des rondeurs dans la cendre. Il fouilla celle-ci du bout du tisonnier, découvrit des pommes de terre non épluchées. Il comprit. Il imagina l'homme, tout seul, vers le milieu de la nuit, mangeant ses pommes de terre en regardant dans le vide.

« Votre fils ne vient jamais vous voir à l'usine ?

— Jamais ! »

Ici encore des gouttes de pluie tombaient une à une devant la porte, donnant une cadence irrégulière à la vie.

« Vous croyez vraiment que votre fille a été assassinée ? »

L'homme ne répondit pas tout de suite. Il ne savait où poser son regard.

« Du moment que Gérard... »

Et soudain, avec un sanglot au fond de la gorge :

« Elle ne se serait pas tuée... Elle ne serait pas partie... »

C'était d'un tragique inattendu. L'homme bourrait machinalement sa pipe.

« Si je ne croyais pas que ces gens-là...

— Vous connaissiez bien Joseph Peeters ? »

Et Piedbœuf détournait la tête.

« Je savais qu'il ne l'épouserait pas… Ce sont des gens riches… Et nous… »

Il y avait au mur une belle horloge électrique, seul luxe de cet abri. En face un tableau noir, sur lequel on avait écrit à la craie : *pas d'embauche.*

Près de la porte enfin, un appareil compliqué, pour enregistrer à l'aide d'une grande roue l'heure d'entrée et de sortie du personnel.

« C'est l'heure de la ronde… »

Maigret faillit lui proposer de la faire avec lui, pour pénétrer plus avant dans la vie de cet homme. Piedbœuf endossait un ciré informe qui lui battait les talons, prenait dans un coin une lanterne-tempête tout allumée, dont il n'eut qu'à relever la mèche.

« Je ne comprends pas pourquoi vous êtes contre nous… C'est peut-être naturel, après tout !… Gérard dit que… »

Mais la pluie les interrompit, car ils atteignaient la cour. Piedbœuf conduisait son hôte jusqu'à la grille qu'il allait refermer avant de faire sa ronde.

Un étonnement de plus pour le commissaire. De là, il apercevait un paysage coupé en tranches égales par les barreaux de fer : les péniches amarrées de l'autre côté du fleuve, la maison des Flamands et sa vitrine éclairée, le quai où des lampes électriques dessinaient de cinquante en cinquante mètres des cercles de lumière.

On voyait très bien le bâtiment de la douane, le café des mariniers…

On voyait surtout l'angle de la ruelle dont la deuxième maison à gauche était celle des Pied-bœuf.

Le 3 janvier...

« Il y a longtemps que votre femme est morte ?

— Il y aura douze ans le mois prochain... Elle est partie de la poitrine...

— Que fait Gérard à cette heure-ci ? »

La lanterne se balançait au bout du bras du gardien. Il avait déjà introduit une grosse clef dans la serrure. Un train sifflait dans le lointain.

« Il doit être en ville...

— Vous ne savez pas de quel côté ?

— Les jeunes gens se réunissent surtout au café de la Mairie ! »

Et Maigret s'enfonça à nouveau dans la pluie, dans l'obscurité. Ce n'était pas une enquête. Il n'y avait aucun point de départ, aucune base.

Il n'y avait qu'une poignée d'humains qui poursuivaient chacun leur vie propre dans la petite ville balayée par le vent.

Peut-être étaient-ils tous sincères ? Mais peut-être aussi l'un d'eux cachait-il une âme tourmentée, effrayée au paroxysme à la pensée de l'épaisse silhouette qui rôdait cette nuit-là par les rues.

Maigret passa devant son hôtel sans y entrer. Il aperçut à travers les vitres l'inspecteur Machère qui pérorait au milieu d'un groupe dont le patron faisait partie. Cela sentait la quatrième ou la cinquième tournée d'alcool. Le patron venait offrir la sienne.

Machère, très animé, gesticulait et devait dire :

« Ces commissaires qui viennent de Paris s'imaginent... »

Et on parlait des Flamands ! On les mettait en pièces !

Au bout d'une rue étroite, il y a une place assez spacieuse. A un angle, un café à la devanture blanche, aux trois vitrines bien éclairées : *Café de la Mairie.*

Une rumeur vous accueillant dès l'ouverture de la porte. Un comptoir de zinc. Des tables. Des joueurs de cartes devant les tapis rouges. De la fumée de pipes et de cigarettes et une aigre odeur de bière tiédie.

« Deux demis, deux ! »

Le bruit des jetons sur le marbre de la caisse. Le tablier blanc du garçon.

« Par ici ! »

Maigret s'assit à la première table venue, vit d'abord Gérard Piedbœuf dans un des miroirs embués de la salle. Il était très animé, lui aussi, comme Machère. Il s'arrêta net de parler en apercevant le commissaire et son pied dut toucher celui de ses compagnons.

Un compagnon et deux compagnes. Ils étaient quatre à la même table. Les jeunes gens étaient du même âge. Les femmes étaient sans doute de petites ouvrières de l'usine.

Tous se taisaient. Les joueurs de cartes eux-mêmes, aux autres tables, annonçaient leurs points à mi-voix et les regards étaient braqués sur le nouveau venu.

« Un demi ! »

Maigret allumait sa pipe, posait son melon tout dégouttant d'eau sur la banquette de moleskine brune.

« Un demi, un ! »

Et Gérard Piedbœuf esquissait un sourire ironique et méprisant, grommelait à mi-voix :

« L'ami des Flamands... »

Il avait bu, lui aussi. Ses prunelles étaient trop brillantes. Ses lèvres pourpres faisaient ressortir la pâleur de son teint. On le sentait très excité. Il observait la galerie. Il cherchait quelque chose à dire pour épater ses compagnes.

« Tu comprends, Ninie, quand tu seras riche, tu n'auras plus rien à craindre de la police... »

Son ami lui donna un coup de coude pour le faire taire, mais le résultat fut de l'énerver davantage.

« Eh bien, quoi ? On n'a plus le droit de dire ce que l'on pense ?... Je répète que la police est à la disposition des riches mais que, du moment que vous êtes pauvre... »

Il était blême. Au fond, il était effrayé lui-même par ses paroles, mais il voulait garder l'auréole que son attitude lui donnait.

Maigret écartait la mousse qui couvrait son verre, buvait une grande gorgée de bière. On entendait des joueurs murmurer, pour rompre le silence :

« Tierce haute…

— Carré de valets…

— A toi !

— Je coupe ! »

Et les deux petites ouvrières qui n'osaient pas se retourner vers le commissaire s'arrangeaient pour l'apercevoir dans la glace.

« C'est à croire que c'est une crime, en France, d'être Français ! Surtout si on est pauvre par surcroît… »

A la caisse, le patron fronçait les sourcils, se tournait vers Maigret, qui ne le regardait pas, avec l'espoir de lui faire comprendre que le jeune homme était ivre.

« Et pique !… Et encore pique !… Hein ! vous ne vous attendiez pas à celle-là…

— Des gens qui ont gagné leur fortune en faisant de la contrebande ! poursuivait Gérard avec le souci d'être entendu par toute la salle. Tout le monde le sait à Givet ! Avant la guerre, c'étaient les cigares et la dentelle… Maintenant, comme l'alcool est interdit en Belgique, ils servent du genièvre aux mariniers flamands… Ce qui permet à leur fils de devenir avocat… Ha ! Ha ! Il en aura bien besoin pour se défendre lui-même !… »

Et Maigret restait seul à sa table, point de mire de tous les consommateurs. Il n'avait pas enlevé son pardessus. Ses épaules étaient luisantes de pluie.

Le patron s'agitait, prévoyait un drame, s'approchait du commissaire :

« Je vous supplie de ne pas faire attention... Il a bu... Et la douleur...

— Partons, Gérard ! murmurait avec effroi la petite femme qui était à côté du jeune homme.

— Pour qu'il pense que j'ai peur de lui ? »

Il tournait toujours le dos à Maigret. Tous deux ne se voyaient que par le truchement des miroirs.

Les autres consommateurs ne jouaient plus que par contenance, oubliaient de marquer les points sur les ardoises.

« Une fine, garçon !... Dégustation !... »

Le patron faillit la refuser, mais n'osa pas, étant donné que Maigret feignait toujours de ne pas le remarquer.

« Saloperie de saloperie !... Voilà ce que c'est !... Ces gens-là prennent nos filles, les tuent le jour où ils en ont assez... Et la police... »

Le commissaire imaginait le vieux Piedbœuf, avec son uniforme teint, faisant le tour des ateliers en s'éclairant de sa lanterne-tempête, revenant dans son coin tout chaud pour manger ses pommes de terre.

En face, la maison des Piedbœuf : la sage-femme qui avait dû mettre l'enfant au lit et qui attendait l'heure de se coucher en lisant son journal ou en tricotant...

Puis, plus loin, l'épicerie des Flamands, le père Peeters que l'on éveillait et qu'on conduisait vers sa chambre, Mme Peeters qui baissait les volets, Anna, toute seule, qui se déshabillait chez elle...

Et les péniches endormies dans le courant qui tendait les amarres, faisait grincer les gouvernails et s'entrechoquer les canots...

« Encore un demi ! »

La voix de Maigret était calme. Il fumait lentement, lançait des bouffées de fumée vers le plafond.

« Vous remarquerez tous qu'il me nargue !... Car il me nargue... »

Le patron était désolé, à bout d'initiative. C'était le scandale qui éclatait.

Car, sur les derniers mots, Gérard s'était levé, faisait enfin face à Maigret. Il avait les traits tirés, les lèvres tordues par la colère.

« Je vous dis qu'il n'est venu ici que pour nous narguer !... Regardez-le !... Il se moque de nous, parce que j'ai bu un verre... Ou plutôt parce que nous n'avons pas d'argent... »

Maigret ne bougeait pas. C'en était hallucinant ! Il était aussi immobile que le marbre de sa table. Il avait la main sur son verre. Il fumait toujours.

« Atout carreau !... » dit quelqu'un de bonne volonté, avec l'espoir de créer une diversion.

Et alors Gérard prit les cartes sur la table du joueur, les lança à travers la salle.

Du coup, la moitié des consommateurs étaient debout, sans oser s'avancer encore, mais prêts à intervenir.

Maigret restait assis. Maigret fumait.

« Mais regardez-le donc !... Il nous nargue !... Il sait bien que ma sœur a été assassinée... »

Le patron ne savait plus où se mettre. Les deux petites femmes qui étaient à la table de Gérard se regardaient avec effroi et avaient déjà mesuré le chemin qui les séparait de la porte.

« Il n'ose rien dire !... Vous remarquerez qu'il n'ose pas ouvrir la bouche !... Il a peur !... Oui, peur qu'on fasse éclater la vérité !...

— Je vous jure qu'il a bu ! » s'écria le patron en voyant Maigret se lever.

Trop tard ! De tous, c'était Gérard, sans doute, qui devait avoir le plus peur.

Cette masse sombre et mouillée qui s'avançait vers lui...

Il eut un mouvement bref de la main droite vers sa poche et ce mouvement fut accompagné d'un grand cri de femme.

C'était un revolver que le jeune homme tirait de la sorte. Mais la main du commissaire l'avait happé au vol. En même temps son pied, en s'avançant, faisait trébucher Gérard.

Un consommateur sur trois tout au plus se rendit compte de ce qui se passait. Et pourtant, maintenant, tous étaient levés. Le revolver était dans la main de Maigret. Gérard se redressait, la mine hargneuse, humilié de sa défaite.

Et, tandis que le commissaire mettait l'arme dans sa poche, d'un geste aussi calme que naturel, le jeune homme haletait :

« Vous allez m'arrêter, hein ! »

Il n'était pas encore debout. Il se soulevait avec l'aide des mains. Il était pitoyable.

« Va te coucher ! » dit lentement Maigret.

Comme l'autre avait l'air de ne pas comprendre, il ajouta :

« Ouvrez la porte ! »

Ce fut une bouffée d'air frais dans l'atmosphère étouffante. Maigret tenait l'épaule de Gérard, le poussait vers le trottoir.

« Va te coucher ! »

Et la porte se referma. Il y avait une personne de moins dans la salle : Gérard Piedbœuf.

« Il est ivre mort !... » grogna Maigret en se rasseyant devant son demi entamé.

Les clients ne savaient pas encore ce qu'ils devaient faire. Certains avaient repris leur place. D'autres hésitaient.

Alors Maigret, après avoir bu une gorgée de bière, soupira :

« Cela n'a pas d'importance ! »

Puis s'adressant à son voisin qui n'y comprit rien, il ajouta :

« Vous aviez annoncé atout carreau... »

6

LE MARTEAU

MAIGRET avait décidé de faire la grasse matinée, moins par paresse que par désœuvrement. Il était dix heures environ quand il fut réveillé d'une façon désagréable.

D'abord on frappait violemment à sa porte, ce qu'il détestait par-dessus tout. Ensuite ses sens encore engourdis percevaient déjà le crépitement de la pluie sur le balcon.

« Qui est là ?

— Machère. »

L'inspecteur lançait son nom comme il eût donné un triomphal coup de clairon.

« Entre !... Va ouvrir les rideaux... »

Et Maigret, resté au lit, vit jaillir la lumière glauque d'une sale journée. En bas, une marchande de poissons faisait l'article au patron de l'hôtel.

« Des nouvelles !... C'est arrivé ce matin au premier courrier...

— Un instant ! Veux-tu crier dans l'escalier

qu'on me monte mon petit déjeuner, car il n'y a pas de sonnerie de service... »

Et, sans quitter le lit, Maigret alluma une pipe qui se trouvait toute bourrée à portée de sa main.

« Des nouvelles de qui ?

— De Germaine Piedbœuf.

— Morte ?

— Tout ce qu'il y a de plus morte ! »

Machère affirmait cela avec ravissement tout en tirant de sa poche une lettre qui avait quatre pages grand format et qui était ornée au surplus de papillons administratifs.

« Transmis par le Parquet de Huy au ministère de l'Intérieur, à Bruxelles.

« Transmis par le ministère de l'Intérieur à la Sûreté générale à Paris.

« Transmis par la Sûreté générale à la Brigade mobile de Nancy.

« Transmis à l'inspecteur Machère, à Givet... »

— Abrège, veux-tu ?

— Eh bien, en deux mots, on l'a retirée de la Meuse à Huy, c'est-à-dire à une centaine de kilomètres d'ici. Il y a de cela cinq jours... On n'a pas pensé tout de suite à la demande d'informations que j'avais lancée à la police belge... Mais je vais vous lire...

— On peut entrer ? »

C'était la femme de chambre avec le café et

les croissants. Quand elle eut disparu, Machère reprit :

« *Ce vingt-six janvier mil neuf cent...* »

« Non, vieux ! Dis tout de suite ce qui en est...

— Eh bien, il paraît à peu près certain qu'elle a été assassinée. Ce n'est plus seulement une certitude morale. C'est une certitude matérielle... Ecoutez :

« *Le corps, autant qu'on en puisse juger, a dû séjourner dans l'eau pendant trois semaines à un mois... Son état de...* »

— En bref ! grogna Maigret qui mangeait.

— ... *décomposition...*

— Je sais ! Les conclusions ! Et surtout pas de description !

— Il y en a une page entière...

— De quoi ?

— De description... Enfin, puisque vous ne voulez pas... Ce n'est pas absolument affirmatif... Pourtant une chose est certaine : c'est que Germaine Piedbœuf était morte longtemps avant d'être immergée... Le docteur dit : *deux ou trois jours avant...*

Maigret trempait toujours son croissant dans son café, mangeait en regardant le rectangle de la fenêtre si bien que Machère crut qu'il n'écoutait pas.

« Cela ne vous intéresse pas ?

— Continue.

— Il y a le compte rendu détaillé de l'autopsie... Vous voulez que... ? Non ?... Eh bien, il

95

me reste à dire le plus intéressant... Le crâne du cadavre était complètement défoncé et les médecins croient pouvoir affirmer que la mort est due à cette fracture, produite avec un instrument contondant, comme un marteau ou une masse de fer... »

Maigret sortit une jambe du lit, puis l'autre, se regarda un moment dans la glace avant de commencer à se savonner les joues à l'aide du blaireau. Pendant qu'il se rasait, l'inspecteur Machère relisait le rapport dactylographié qu'il avait entre les mains.

« Vous ne trouvez pas ça extraordinaire, vous ?... Pas le coup de marteau !... Je parle du fait que le corps n'a été jeté à l'eau que deux ou trois jours après la mort... Il faudra que j'aille faire une nouvelle visite chez les Flamands...

— Vous avez la liste des vêtements que Germaine Piedbœuf portait ?

— Oui... Attendez... Chaussures noires à brides, assez usées... Bas de fil noir... Linge rose de mauvaise qualité... Robe de serge noire, sans marque...

— C'est tout ? Pas de manteau ?

— Tiens ! C'est vrai...

— C'était le 3 janvier... Il pleuvait... Il faisait froid... »

Le visage de Machère se rembrunit. Il grogna sans s'expliquer :

« Evidemment !

— Evidemment quoi ?

— Elle ne s'entendait pas assez avec les Peeters pour qu'on l'invite à se mettre à l'aise... D'autre part, je ne vois pas pourquoi l'assassin lui aurait retiré son manteau... Ou alors il l'aurait complètement déshabillée, afin de rendre l'identification plus difficile... »

Maigret se lavait à grand bruit, en éclaboussant jusqu'à l'inspecteur qui était pourtant au milieu de la chambre.

« Les Piedbœuf sont déjà au courant ?

— Pas encore... Je pensais que vous vous chargeriez...

— De rien ! Je ne suis pas en mission ! Faites comme si vous étiez seul, mon vieux ! »

Et il chercha son bouton de col, acheva de s'habiller, poussa Machère vers la porte.

« Il faut que je sorte... A tout à l'heure... »

*
* *

Il ne savait pas où il allait. Il sortait pour sortir ou plutôt pour s'enfoncer à nouveau dans l'atmosphère de la ville. Le hasard le fit s'arrêter devant une plaque de cuivre qui annonçait :

DOCTEUR VAN DE WEERT
Consultations de dix heures à midi

Quelques minutes plus tard, on le faisait passer avant les trois clients qui attendaient dans l'antichambre et il se trouva en présence d'un

97

petit homme à la peau rose d'enfant, aux cheveux du même blanc pur que ceux de Mme Peeters.

« Rien de désagréable, au moins ? »

Il se frottait les mains en parlant et toute sa silhouette révélait un solide optimisme.

« Ma fille m'a dit que vous aviez accepté de…

— Je voudrais d'abord vous poser une question. Quelle force faut-il pour défoncer un crâne de femme d'un coup de marteau ? »

L'effarement du petit homme, dont le ventre était barré d'une grosse chaîne de montre et qui portait une jaquette surannée, fut savoureux.

« Un crâne ?… Est-ce que je sais, moi ?… Je n'ai jamais eu l'occasion, à Givet…

— Croyez-vous, par exemple, qu'une femme soit capable… »

Il s'affolait. Il gesticulait.

« Une femme ?… Mais c'est de la folie !… Jamais une femme ne penserait à…

— Vous êtes veuf, monsieur Van de Weert ?

— Depuis vingt ans ! Heureusement que ma fille…

— Que pensez-vous de Joseph Peeters ?

— Mais… c'est un excellent garçon !… J'aurais préféré lui voir choisir la médecine, parce qu'il aurait repris mon cabinet. Ma foi, puisqu'il est doué pour le Droit… C'est un sujet remarquable…

— Du point de vue santé ?

— Très bon ! Très bon ! Un peu fatigué par un travail acharné et par sa croissance...

— Les Peeters n'ont aucune tare ?

— Une tare ? »

A croire, tant son ahurissement était grand, qu'il n'avait jamais entendu parler de cela.

« Vous êtes renversant, commissaire ! Je ne comprends pas ! Vous avez vu ma cousine. Elle est bâtie pour vivre un siècle...

— Votre fille aussi ?

— Elle est plus délicate... Elle tient de sa mère... Mais permettez-moi de vous offrir un cigare... »

Un vrai Flamand comme on en voit sur les chromos, vantant une marque de genièvre, un Flamand aux lèvres fleuries, aux yeux clairs proclamant la simplicité de son âme.

« En somme, Mlle Marguerite devait épouser son cousin. »

Il se rembrunit à peine.

« Un jour ou l'autre, évidemment !... Sans cette aventure malencontreuse... »

Pour lui, ce n'était que malencontreux !

« Des gens qui n'ont pas compris que le mieux à faire était d'accepter une petite pension pour l'enfant et, autant que possible, de changer de ville... Je crois que c'est surtout le frère qui a mauvais esprit... »

Non ! on ne pouvait pas lui en vouloir ! Il était sincère ! Naïf à force de sincérité !

« Sans compter que rien ne prouve que l'enfant soit de Joseph... Il aurait été beaucoup mieux dans un sanatorium, avec sa mère...

— Bref, votre fille attendait... »

Et Van de Weert sourit.

« Elle l'aime depuis l'âge de quatorze ou quinze ans... N'est-ce pas beau ?... Est-ce que c'était mon rôle de m'opposer ?... Vous avez du feu ?... Moi, si vous voulez mon avis, il n'y a même pas de drame... La jeune personne, qui a toujours été une petite coureuse, a suivi un nouvel ami quelque part... Et son frère en a profité pour essayer de se faire de l'argent... »

Il ne demandait pas l'avis de Maigret. Il était sûr que son opinion était la bonne. Il tendait l'oreille aux vagues bruits de l'antichambre où les clients devaient s'impatienter.

Alors le commissaire, tranquillement, avec le même regard innocent que son interlocuteur, posa une dernière question :

« Pensez-vous que Mlle Marguerite soit la maîtresse de son cousin ? »

Van de Weert fut peut-être sur le point de s'indigner. Son front devint rouge. Mais, ce qui l'emporta, ce fut la tristesse devant tant d'incompréhension.

« Marguerite ?... Vous êtes fou !... Qui est-ce qui a pu inventer cela ?... Marguerite être la... le... »

Et Maigret, qui tenait déjà le bouton de la porte, s'en alla sans même sourire. La maison sentait à la fois la pharmacie et la cuisine. La

100

servante qui ouvrait la porte aux clients était fraîche comme au sortir d'un bain chaud.

Mais dehors c'était à nouveau la pluie et la boue, les camions automobiles qui passaient en éclaboussant les trottoirs.

On était samedi. Joseph Peeters devait arriver l'après-midi et passer la journée du dimanche à Givet. Au café des Mariniers, on discutait avec passion car les Ponts et Chaussées venaient d'annoncer que la navigation était rétablie depuis la frontière jusqu'à Maestricht.

Seulement, étant donné la force du courant, les remorqueurs demandaient quinze francs le kilomètre, par tonne, au lieu de dix. Au surplus on apprenait qu'une arche du pont de Namur était obstruée par une péniche chargée de pierres qui avait cassé ses amarres et s'était mise en travers de la pile.

« Il y a des morts ? questionna Maigret.

— La femme et son fils. Le marinier lui, qui était au bistrot, est arrivé au bord de l'eau quand son bateau était déjà parti ! »

Gérard Piedbœuf passait en vélo, revenant des bureaux de l'usine. Et, quelques instants plus tard, Machère revenait de la maison des Flamands où il était allé annoncer la nouvelle, sonnait à la porte des Piedbœuf, se trouvait en face de l'accoucheuse qui le recevait sèchement.

* * *

« Qu'est-ce que c'était, ton affaire d'attentat à la pudeur ? »

A bord de la plupart des péniches, le logement est d'une propreté rarement égalée dans les maisons. Mais il n'en était pas de même sur l'*Etoile Polaire*.

Le marinier n'avait pas de femme. Il était aidé par un gars d'une vingtaine d'années qui n'avait pas tout son esprit et qui piquait de temps en temps une crise d'épilepsie.

La cabine sentait la caserne. L'homme était occupé à y manger du pain et du saucisson en buvant un litre de vin rouge.

Il était moins ivre que d'habitude. Il regardait Maigret avec méfiance et il fut assez longtemps sans se décider à parler.

« Même pas un attentat... J'avais déjà couché deux ou trois fois avec la fille... Un soir, sur le chemin, je la rencontre et, sous prétexte que j'ai bu, elle refuse... Alors, moi, je l'ai empoignée... Elle a hurlé... Des gendarmes passaient comme par hasard, et j'en ai envoyé un par terre d'un coup de poing...

— Cinq ans ?

— J'ai failli les avoir. Elle niait qu'on ait eu des rapports auparavant... Des copains sont venus le dire au tribunal, mais on ne les a crus qu'à moitié... Sans le gendarme, qui en a eu pour quinze jours d'hôpital, j'en étais quitte avec un an, peut-être même avec sursis... »

Et il taillait son pain avec un couteau de poche.

« Vous n'avez pas soif ?... On va peut-être partir demain... On attend de savoir si le pont de Namur est dégagé...

— Dis-moi maintenant pourquoi tu as inventé l'histoire de la femme que tu as vue sur le quai.

— Moi ? »

Il se donnait le temps de la réflexion, feignait de manger avec appétit.

« Avoue que tu n'as rien vu du tout ! »

Maigret surprit une flamme joyeuse dans les yeux de son interlocuteur.

« Vous croyez ça ?... Eh bien, sans doute que vous avez raison !

— Qui t'a demandé de faire ce témoignage ?

— A moi ? »

Et il rigolait toujours. Il crachait droit devant lui la peau de son saucisson.

« Où as-tu rencontré Gérard Piedbœuf ?

— Ah ! voilà... »

Mais il se trouvait en face d'un homme aussi placide que lui.

« Il t'a donné quelque chose ?

— Il a payé des tournées... »

Puis brusquement, avec un rire silencieux :

« Seulement, ce n'est pas vrai ! Je dis ça pour vous faire plaisir... Si vous voulez que je déclare le contraire au tribunal, vous n'avez qu'à faire signe...

— Qu'est-ce que tu as vu exactement ?

— Si je vous le disais, vous ne me croiriez pas.

— Parle quand même !

— Eh bien, j'ai vu une femme qui attendait... Puis un homme qui est venu et dans les bras de qui elle s'est jetée...

— Qui était-ce ?

— Comment voulez-vous que je les aie reconnus, dans l'obscurité ?

— Où étais-tu ?

— Je revenais du bistrot...

— Et où le couple est-il allé ? Chez les Flamands ?

— Non ! Ils ont pris par-derrière.

— Derrière quoi ?

— Derrière la maison... Et puis ! si vous voulez que ce ne soit pas vrai... j'ai l'habitude, vous comprenez !... On a raconté tant d'histoires à mon procès... Même mon avocat, qui a été le plus menteur de tous...

— Tu vas de temps en temps boire un verre chez les Flamands ?

— Moi ?... Ils refusent de me servir, sous prétexte qu'une fois j'ai cassé la balance en donnant un coup de poing dessus... Il leur faut des clients qui se soûlent la gueule sans bouger et sans rien dire...

— Gérard Piedbœuf t'a parlé ?

— Qu'est-ce que je vous ai dit tout à l'heure ?

— Qu'il t'avait demandé de dire...

104

Et il attendit que le fonctionnaire fût parti, à regret.

« Qu'est-ce que c'est ?

— Rien du tout !

— Tu as l'habitude de mettre des objets aussi durs dans les coussins ? »

La couture cédait, laissait voir du noir. Et Maigret déployait bientôt un petit manteau de serge tout fripé, tout plein de faux plis.

C'était la même serge que celle décrite dans le rapport du Parquet belge. Il n'y avait pas de marque. Le vêtement avait été fait par Germaine Piedbœuf elle-même.

Mais ce n'était pas la pièce la plus intéressante. Au milieu du paquet, il y avait un marteau au manche poli par l'usage.

« Le plus rigolo, grommela le marinier, c'est que vous allez vous mettre le doigt dans l'œil... Je n'ai rien fait !... Ces deux machins-là, je les ai retirés de la Meuse, le 4 janvier, à la première heure du matin...

— Et tu as eu la bonne idée de les mettre en sûreté !

— Je commence à avoir l'habitude ! répliqua l'homme avec un air satisfait. Vous m'arrêtez ?

— C'est tout ce que tu as à dire ?

— ... que vous vous fourrez le doigt dans l'œil !...

— Tu pars toujours demain ?

— Si vous ne m'arrêtez pas, c'est probable. »

Ce dut être la plus grande surprise de sa vie de

voir Maigret refaire le paquet avec soin, le glisser sous son pardessus et s'en aller sans mot dire.

Il le regarda s'éloigner dans la pluie, le long du quai, passer devant le douanier qui le salua. Puis il redescendit dans la cabine en se grattant la tête et se versa à boire.

7

UN TROU DE TROIS HEURES

Quand Maigret arriva à son hôtel pour déjeuner, le patron lui annonça que le facteur avait présenté une lettre recommandée à son adresse, mais qu'il n'avait pas voulu la laisser.

Ce fut comme un signal donné aux mille petits ennuis qui se donnent le mot pour harceler un homme. A peine à table, le commissaire s'informa de son collègue. On ne l'avait pas vu. Il fit téléphoner à son hôtel. On lui répondit qu'il était parti depuis une demi-heure.

Ce n'était pas grave. Maigret n'avait même pas le pouvoir de donner des instructions à Machère. Mais il aurait voulu lui suggérer l'idée de ne pas trop quitter le marinier des yeux.

A deux heures, il était au bureau de poste où on lui remettait la lettre recommandée. Une histoire stupide. Des meubles qu'il avait achetés et refusé de payer parce qu'ils n'étaient pas conformes à la commande. Le fournisseur le mettait en demeure.

Il lui fallut, une bonne demi-heure durant, rédiger la réponse, puis une lettre à sa femme pour lui donner des instructions à ce sujet.

Il n'avait pas fini qu'on l'appelait au téléphone. C'était le directeur de la P. J. qui lui demandait quand il comptait rentrer et le priait d'envoyer quelques détails sur deux ou trois affaires en cours.

Dehors, il pleuvait toujours. Le plancher du café était couvert de sciure de bois. A cette heure, il n'y avait personne et le garçon en profitait pour faire, lui aussi, son courrier.

Un petit détail ridicule : Maigret avait horreur d'écrire sur une table de marbre et il n'en existait pas d'autre.

« Téléphonez à l'hôtel de la Gare pour savoir si on n'a pas encore vu l'inspecteur. »

Maigret était en proie à une mauvaise humeur vague, d'autant plus crispante qu'elle n'avait pas d'objet sérieux. Deux ou trois fois il alla coller son front à la vitre embuée. Le ciel devenait un peu plus clair, les gouttes d'eau plus espacées. Mais le quai boueux restait désert.

Vers quatre heures, le commissaire entendit un coup de sifflet. Il courut à la porte et vit un remorqueur qui, pour la première fois depuis le commencement de la crue, crachait une épaisse vapeur.

Le courant était encore violent. Quand le remorqueur, tout mince, tout léger, qui avait des airs de pur-sang en comparaison des péni-

ches, se détacha de la rive, il se cabra littéralement et un moment on put croire qu'il allait être
entraîné par le flot.

Nouveau coup de sifflet, plus strident. Et il
tint tête. Un câble se tendait, derrière lui. Un
premier chaland se décolla du bloc des bateaux
qui attendaient, se mit en travers de la Meuse
tandis que deux hommes pesaient de tout leur
poids sur le gouvernail.

Sur les seuils des cafés, les consommateurs
étaient réunis pour assister à la manœuvre.
Deux, trois péniches entrèrent à leur tour dans
la lutte, décrirent un demi-cercle et soudain, sur
un coup de sifflet vibrant d'orgueil, le remorqueur s'élança vers la Belgique tandis que ses
chalands, derrière lui, essayaient tant bien que
mal de prendre la ligne droite.

L'*Etoile Polaire* ne faisait pas partie du train.

*
* *

« ... *et je vous prie en conséquence de bien
vouloir faire reprendre à mon domicile, boulevard
Richard-Lenoir, les meubles que...* »

Maigret écrivait avec une lenteur anormale,
comme si ses doigts eussent été trop gros pour la
plume qu'ils écrasaient sur le papier. Par
contraste, cela donnait une écriture toute petite,
mais grasse, qui, de loin, ressemblait à une série
de taches.

« M. Peeters qui passe en moto... » annonça

le garçon qui allumait les lampes et tirait les rideaux de la devanture.

Il était quatre heures et demie.

« Il faut du courage pour faire deux cents kilomètres par un temps pareil! Il est crotté jusqu'aux yeux!

— Albert!... Le téléphone!... » criait la patronne.

Maigret signait sa lettre, la mettait sous enveloppe.

« C'est pour vous, monsieur le commissaire! De Paris...

— Allô!... Allô!... Oui, c'est moi... »

Et Maigret essaya de mettre un frein à sa mauvaise humeur. C'était sa femme qui était à l'appareil et qui lui demandait quand il rentrerait.

« Allô... On est venu pour les meubles...

— Je sais! Je fais le nécessaire...

— Il y a aussi une lettre de ton collègue anglais qui...

— Oui, ma chérie! C'est sans importance...

— Est-ce qu'il fait froid, là-bas?... Couvre-toi bien... Ton rhume n'est pas tout à fait guéri et... »

Pourquoi était-il en proie à une impatience presque douloureuse? Une impression vague. Il lui semblait qu'il ratait quelque chose en perdant son temps dans cette cabine.

« Je serai à Paris dans trois ou quatre jours.

— Seulement!

— Oui... Je t'embrasse... Au revoir... »

Dans le café, il s'informa d'une boîte aux lettres.

« Juste au coin de la rue, au bureau de tabac. »

Il faisait nuit. De la Meuse, on ne voyait plus que les reflets des réverbères. Contre le tronc d'un arbre, le commissaire aperçut une silhouette qui le fit tiquer. Car ce n'était pas un temps à prendre le frais dans la pluie et le vent.

Il jeta sa lettre dans la boîte, se retourna, vit que la silhouette se détachait de l'arbre. Il marcha et l'inconnu se mit à marcher derrière lui.

Ce fut vite fait ! Quelques pas précipités en arrière et Maigret saisissait l'homme au collet.

« Qu'est-ce que tu fais ici ? »

Il avait serré un peu fort. Le visage de l'inconnu était congestionné. Maigret relâcha l'étreinte.

« Parle ! »

Quelque chose le choquait, il ne savait pas quoi. Ce regard qui fuyait était gênant, plus gênant encore que le sourire que l'homme esquissait.

« Tu n'es pas le commis de l'*Etoile Polaire* ? »

L'autre fit oui de la tête, avec ravissement.

« Tu me guettais ? »

C'était un mélange de peur et de gaieté qu'on lisait sur le visage trop long de l'individu. Est-ce que le marinier n'avait pas confié à Maigret que son commis était simple d'esprit et qu'il piquait des crises d'épilepsie ?

« Ne ris pas ! Dis-moi ce que tu fais ici...

— Je vous regarde.

— C'est ton patron qui t'a dit de me surveiller ? »

Impossible d'être brutal avec ce pauvre hère, d'autant plus pitoyable qu'il était dans la force de l'âge. Il avait vingt ans. Il ne se rasait pas, mais sa barbe rare, faite de poils blonds très fins, n'atteignait pas un centimètre. Sa bouche était deux fois plus grande qu'une bouche normale.

« Ne me battez pas...

— Viens ! »

Plusieurs péniches avaient changé de place. Pour la première fois depuis des semaines, l'activité régnait à bord, car on se préparait au départ. On voyait les femmes aller aux provisions. Les douaniers circulaient, montant sur les bateaux.

L'*Etoile Polaire,* par suite des départs, se trouvait isolée et son avant s'était quelque peu écarté de la berge. Il y avait une lueur dans la cabine.

« Passe devant ! »

Il fallait franchir une passerelle qui n'était faite que d'une planche trop souple, instable.

Il n'y avait personne à bord, bien que la lampe à pétrole fût allumée.

« Où ton patron range-t-il ses effets du dimanche ? »

Car Maigret devinait un désordre anormal.

Le commis ouvrait un placard, s'étonnait. Par terre, on apercevait les vêtements que le marinier portait encore le matin.

« Et son argent ? »

Signes de dénégation ardente. L'idiot ne savait pas ! L'argent était caché !

« Ça va ! Tu peux rester ici. »

Maigret sortit, tête basse, se heurta à un douanier.

« Vous n'avez pas vu l'homme de l'*Etoile Polaire* ?

— Non ! Il n'est pas à bord ? Je croyais qu'il devait partir demain à la première heure.

— Le bateau est à lui ?

— Jamais de la vie ! C'est à un de ses cousins, qui habite Flémalle. Un original comme lui...

— Qu'est-ce qu'il peut gagner en naviguant ?

— Six cents francs par mois ?... Peut-être un peu plus, avec la fraude... Mais pas beaucoup... »

La maison des Flamands était éclairée. Non seulement il y avait de la lumière aux fenêtres de la boutique, mais encore au premier étage.

Quelques instants plus tard, le timbre de l'épicerie tintait, Maigret frottait ses semelles au paillasson, criait à Mme Peeters accourant déjà de la cuisine :

« Ne vous dérangez pas ! »

*
* *

La première personne qu'il vit, quand il fut introduit dans la salle à manger, fut Marguerite Van de Weert qui feuilletait une partition musicale.

Elle était plus vaporeuse que jamais dans sa robe de satin bleu pâle et elle eut pour le commissaire un sourire accueillant.

« Vous venez voir Joseph ?

— Il n'est pas ici ?

— Il est monté se changer... C'est fou de faire la route en moto par un temps pareil !... Surtout lui, qui a déjà une santé délicate et qui est surmené par ses études... »

Ce n'était pas de l'amour ! C'était de l'adoration ! On la sentait capable de rester des heures sans bouger, à contempler le jeune homme !

Qu'est-ce qu'il avait donc pour inspirer de pareils sentiments ? Est-ce que sa sœur ne parlait pas de lui à peu près dans les mêmes termes ?

« Anna est avec lui ?

— Elle lui prépare ses vêtements.

— Et vous ? Il y a longtemps que vous êtes arrivée ?

— Une heure.

— Vous saviez que Joseph Peeters allait venir ? »

Un léger trouble. Il ne dura qu'une seconde et elle reprit aussitôt :

« Il vient tous les samedis, à la même heure.

— Est-ce qu'il y a le téléphone dans la maison ?

— Ici, non ! Chez nous, naturellement ! Mon père en a tout le temps besoin. »

Elle commençait à lui déplaire, il ne savait pas pourquoi. Ou plus exactement à l'énerver ! Il n'aimait pas ses airs de bébé, sa façon volontairement enfantine de parler, son regard qu'elle voulait candide.

« Tenez ! Il descend... »

Et, en effet, on entendait des pas dans l'escalier. Joseph Peeters entrait dans la salle à manger, tout propre, tout net, les cheveux portant encore la trace du peigne mouillé.

« Vous étiez ici, monsieur le commissaire... »

Il n'osa pas tendre la main. Il se tourna vers Marguerite.

« Et tu ne lui as encore rien offert ? »

Dans la boutique, plusieurs personnes parlaient flamand. Anna arrivait à son tour, paisible, s'inclinait comme on avait dû le lui apprendre au couvent.

« C'est vrai, monsieur le commissaire, qu'il y a eu un scandale, hier soir, dans un café de la ville ?... Je sais que les gens exagèrent toujours... Mais... asseyez-vous ! Joseph !... Va chercher quelque chose à boire... »

Il y avait un feu de boulets dans la cheminée. Le piano était ouvert.

Maigret cherchait à préciser une impression qu'il avait eue dès son arrivée, mais chaque fois qu'il se croyait sur le point d'atteindre son but, sa pensée devenait fuyante.

Il y avait quelque chose de changé. Seulement il ne savait pas quoi.

Et il était maussade. Il avait son visage fermé, son front buté des mauvais jours. Exactement, il avait envie de commettre quelque incongruité pour rompre toute cette harmonie qui l'entourait.

C'était Anna qui lui inspirait le plus ce sentiment confus. Elle portait toujours la même robe grise qui donnait à ses formes un aspect immuable de statue.

Est-ce que vraiment les événements avaient prise contre elle ? Elle se mouvait et ses gestes ne déplaçaient pas un seul des plis du vêtement. Son visage restait serein.

Elle faisait penser à un personnage de tragédie antique égaré dans la vie quotidienne et mesquine d'une petite ville frontière.

« Est-ce qu'il vous arrive de servir au magasin ? »

Il n'avait pas osé dire : à la boutique.

« Souvent ! Je remplace maman.

— Et vous servez à boire aussi ? »

Elle ne sourit pas. Elle se contenta de manifester de l'étonnement.

« Pourquoi pas ?

— Il arrive que les mariniers soient ivres, n'est-ce pas ? Ils doivent se montrer très familiers, peut-être entreprenants ?

— Pas ici ! »

118

Et c'était à nouveau la statue ! Elle était sûre d'elle !

« Préférez-vous du porto ou bien... ?

— Plutôt un verre de ce Schiedam que vous m'avez offert l'autre jour.

— Va demander à maman la bouteille de « vieux système », Joseph. »

Et Joseph obéissait.

Fallait-il changer l'ordre hiérarchique imaginé par Maigret et qui était celui-ci : Joseph d'abord, véritable dieu de la famille. Puis Anna. Puis Maria. Puis Mme Peeters, consacrée à l'épicerie. Puis enfin le père endormi dans son fauteuil ?

Anna, sans heurt, semblait prendre la première place.

« Vous n'avez rien découvert de nouveau, monsieur le commissaire ?... Vous avez vu que les bateaux commencent à partir ?... La navigation est rétablie jusqu'à Liège, peut-être jusqu'à Maestricht... Dans deux jours, il n'y aura plus ici que trois ou quatre péniches à la fois... »

Pourquoi disait-elle cela ?

« Mais non, Marguerite ! Les verres à pied... »

Car Marguerite prenait des verres dans le buffet.

Maigret était toujours tourmenté par son besoin de rompre l'équilibre et il profita de ce que Joseph était dans la boutique, sa cousine occupée à choisir les verres, pour montrer à Anna le portrait de Gérard Piedbœuf.

« Il faudra que je vous en parle !... » dit-il à mi-voix.

Il la regardait ardemment. Mais, s'il espérait troubler la quiétude du visage, il dut être déçu. Elle se contenta d'esquisser un signe de complice à complice. Un signe qui disait :

« Oui... Plus tard... »

Et, à son frère qui entrait :

« Il y a encore beaucoup de monde ?

— Cinq personnes. »

Anna devait faire preuve aussitôt du sens des nuances. La bouteille que Joseph apportait était surmontée d'un mince tuyau en étain permettant de verser le liquide sans en perdre une goutte.

Avant de servir, la jeune fille retira cet accessoire, marquant ainsi qu'il n'était pas de mise dans un salon, avec des invités.

Maigret chauffa un instant son verre dans le creux de sa main.

« A votre santé ! dit-il.

— A votre santé ! répéta Joseph Peeters, qui était le seul à boire.

— Nous avons dès à présent la preuve que Germaine Piedbœuf a été assassinée. »

Il n'y eut que Marguerite à pousser un petit cri effarouché, un vrai petit cri de jeune fille comme on en entend au théâtre.

« C'est affreux !

— On m'en a parlé, mais je ne voulais pas le

120

croire ! dit Anna. Cela va rendre notre situation encore plus difficile, n'est-ce pas ?

— Ou plus facile ! Surtout si je parviens à prouver que votre frère n'était pas à Givet le 3 janvier.

— Pourquoi ?

— Parce que Germaine Piedbœuf a été tuée à coups de marteau.

— Mon Dieu !... Taisez-vous !... »

C'était Marguerite qui se dressait, toute pâle, prête à s'évanouir.

« J'ai le marteau dans ma poche.

— Non ! Je vous en supplie... Ne le montrez pas... »

Mais Anna, elle, restait calme. Ce fut à son frère qu'elle s'adressa.

« Ton camarade est revenu ? questionna-t-elle.

— Hier. »

Alors elle expliqua au commissaire :

« C'est le camarade avec qui il a passé la soirée du 3 janvier dans un café de Nancy... Il était parti pour Marseille, il y a une dizaine de jours, à la suite de la mort de sa mère... Il vient de revenir...

— A votre santé ! » répondit Maigret en vidant son verre.

Et il prit la bouteille, se servit à nouveau. De temps en temps la sonnette tintait. Ou bien on entendait le bruit d'une petite pelle qui versait du sucre dans un sac de papier et le heurt de la balance.

« Votre sœur ne va pas mieux ?

— On croit qu'elle pourra se lever lundi ou mardi. Mais elle ne reviendra sans doute pas ici pour longtemps.

— Elle se marie ?

— Non ! Elle veut se faire religieuse. C'est une idée qu'elle caresse depuis longtemps. »

A quoi Maigret reconnut-il qu'il se passait quelque chose dans la boutique ? Les bruits étaient les mêmes, peut-être moins forts. L'instant d'après, pourtant, Mme Peeters parlait français.

« Vous les trouverez dans le salon... »

Des portes ouvertes et fermées. L'inspecteur Machère qui s'arrêtait sur le seuil, très animé, faisant un effort pour rester calme et qui regardait le commissaire attablé devant son verre de genièvre.

« Qu'est-ce que c'est, Machère ?

— Le... Je voudrais vous dire deux mots en particulier...

— A propos de quoi ?

— Du... »

Il hésitait à parler, esquissait des signes d'intelligence que tout le monde comprenait.

« Ne te gêne pas.

— C'est le marinier...

— Il est revenu ?

— Non... Il...

— Il a·fait des aveux ? »

Machère était au supplice. Il venait pour une communication qu'il considérait comme de la plus haute importance et qu'il voulait secrète et on l'obligeait à parler devant trois personnes !

« Il... On a retrouvé sa casquette et son veston...

— Le vieux ou le neuf ?

— Je ne comprends pas.

— Est-ce son veston des dimanches, en drap bleu, qu'on a retrouvé ?

— En drap bleu, oui... Sur la berge... »

Tout le monde se taisait. Anna, qui était debout, regardait l'inspecteur sans qu'un trait de son visage tressaillît. Joseph Peeters se caressait les mains avec énervement.

« Continue !

— Il a dû se jeter dans la Meuse... Sa casquette a été repêchée près de la péniche qui était juste derrière lui... La péniche l'a arrêtée. Comprenez-vous ?...

— Ensuite ?

— Quant au veston, il était sur la berge... Et il y avait ce papier épinglé... »

Il le tira de son portefeuille avec précaution. C'était un bout de papier informe, détrempé par la pluie. C'est à peine si on pouvait encore lire :

« *Je suis une crapule. J'aime encore mieux la rivière...* »

Maigret avait lu à mi-voix. Joseph Peeters questionna d'une voix troublée :

« Je ne comprends pas... Qu'est-ce qu'il veut dire ?... »

Machère restait debout, dérouté, mal à l'aise. Marguerite regardait chaque personne tour à tour de ses grands yeux inexpressifs.

« Je crois que c'est vous qui... » commença l'inspecteur.

Et Maigret se levait, cordial, avec un sourire de bonne compagnie aux lèvres. Il s'adressait plus particulièrement à Anna.

« Vous voyez !... Je vous parlais tout à l'heure d'un marteau...

— Taisez-vous !... supplia Marguerite.

— Qu'est-ce que vous faites, demain après-midi ?

— Comme tous les dimanches... Nous restons en famille... Il ne manquera que Maria...

— Vous permettez que je vienne vous présenter mes hommages ? Peut-être y aura-t-il de cette excellente tarte au riz... »

Et Maigret se dirigea vers le corridor où il endossa son pardessus que la pluie rendait deux fois plus lourd.

« Vous m'excuserez... balbutia Machère. C'est le commissaire qui a voulu...

— Viens ! »

Dans la boutique, Mme Peeters s'était hissée sur un escabeau pour prendre, dans la plus haute case, un paquet d'amidon. Une femme de marinier attendait, l'air morne, un filet à provisions au bras.

8

LA VISITE AUX URSULINES

Il y avait un petit groupe de gens près de l'endroit où on avait repêché la casquette mais le commissaire, entraînant Machère, marcha dans la direction du pont.

« Vous ne m'aviez pas parlé de ce marteau... Sinon, il est évident que...

— Qu'as-tu fait toute la journée ? »

Et l'inspecteur eut la mine d'un écolier pris en faute.

« Je suis allé à Namur... Je voulais m'assurer que l'entorse de Maria Peeters...

— Eh bien ?

— On n'a pas voulu me laisser entrer... Je suis tombé dans un couvent de religieuses qui me regardaient comme un hanneton échoué dans la soupe...

— Tu as insisté ?

— J'ai même menacé. »

Maigret réprimait un sourire amusé. Près du pont, il pénétra dans un garage qui faisait la location des voitures et il en demanda une avec chauffeur pour se rendre à Namur.

Cinquante kilomètres aller et cinquante kilomètres retour, le long de la Meuse.

« Tu viens avec moi ?

— Vous voulez… ? Puisque je vous dis qu'on ne vous recevra pas… Sans compter que maintenant qu'on a trouvé le marteau…

— Bon ! Fais autre chose. Prends une auto aussi. Va dans toutes les petites gares qui se trouvent dans un rayon de vingt kilomètres. Assure-toi que le marinier n'a pas pris le train… »

Et la voiture de Maigret démarra. Bien calé dans les coussins, le commissaire fuma béatement sa pipe… ne voyant du paysage que quelques lumières qui étoilaient les deux côtés de la voiture.

Il savait que Maria Peeters était régente dans une école tenue par les ursulines. Il savait aussi que celles-ci sont, dans la hiérarchie religieuse, l'équivalent des jésuites, c'est-à-dire qu'elles forment en quelque sorte l'aristocratie enseignante. L'école de Namur était fréquentée par tout le haut gratin de la province.

Dès lors, c'était amusant d'imaginer l'inspecteur Machère en discussion avec les religieuses, insistant pour entrer et surtout employant la menace !

« J'ai oublié de lui demander comment il les

avait appelées... songea Maigret. Il a dû dire :
mesdames... Ou encore : *ma bonne sœur...* »

Maigret était grand, lourd, large d'épaules,
épais de traits. Pourtant, quand il sonna à la
porte du couvent, dans une petite rue provinciale où de l'herbe poussait entre les pavés, la
sœur converse qui lui ouvrit ne s'effaroucha pas
le moins du monde.

« Je voudrais parler à la révérende mère !
dit-il.

— Elle est à la chapelle. Mais, dès que le
salut sera fini... »

Et il fut introduit dans un parloir à côté
duquel la salle à manger des Peeters n'était que
malpropreté et désordre. Ici, on se voyait vraiment dans le parquet comme dans un miroir. On
sentait surtout que les moindres objets étaient
immuables, que les chaises occupaient chacune
la même place depuis des années, que la pendule
de la cheminée ne s'était jamais arrêtée, n'avait
jamais ni avancé, ni retardé.

Dans les couloirs aux dalles somptueuses, des
pas glissants, parfois des chuchotements. Enfin,
très doux, lointain, un chant d'orgues.

Les gens du quai des Orfèvres eussent sans
doute été étonnés de voir un Maigret très à son
aise. Lorsque la supérieure entra, il la salua
discrètement, en l'appelant par le nom que l'on
doit donner aux ursulines, c'est-à-dire en
disant : « Ma mère... »

Elle attendait, les mains dans les manches.

« Je m'excuse de vous déranger, mais je voudrais vous demander l'autorisation de rendre visite à une de vos institutrices... Je sais que la règle s'y oppose... Néanmoins, comme il s'agit de la vie ou tout au moins de la liberté de quelqu'un...

— Vous êtes de la police aussi ?

— Vous avez reçu la visite d'un inspecteur, je crois ?

— Un monsieur se disant de la police, qui a fait du bruit et est parti en criant qu'on aurait de ses nouvelles... »

Maigret l'excusa, resta calme, poli, déférent. Il prononça quelques phrases adroites et un peu plus tard une sœur converse était chargée de prévenir Maria Peeters qu'on la demandait.

« Une jeune fille de grand mérite, je crois, ma mère ?

— Je ne peux dire d'elle que le plus grand bien. Au début, nous avons hésité à la prendre, monsieur l'aumônier et moi, à cause du commerce de ses parents... Pas l'épicerie... Mais le fait que l'on sert à boire... Nous avons passé là-dessus et nous n'avons qu'à nous en louer... Hier, en descendant un escalier, elle s'est tordu la cheville et depuis lors elle est au lit, très abattue, car elle sait que cela nous met dans l'embarras... »

La sœur converse revenait. Maigret la suivit le long d'interminables couloirs. Il rencontra plusieurs groupes d'élèves habillées toutes de la

128

même manière : robe noire à petits plis et ruban de soie bleu autour du cou.

Enfin, au deuxième étage, une porte s'ouvrit. La converse se demanda si elle devait partir ou rester.

« Laissez-nous, ma sœur... »

Une petite chambre toute simple. Des murs peints à l'huile, ornés de lithographies religieuses à cadre noir et d'un grand crucifix.

Un lit de fer. Une forme maigre à peine perceptible sous la couverture.

Maigret ne voyait pas de visage. On ne lui disait rien. La porte refermée il resta un bon moment immobile, embarrassé de son chapeau mouillé, de son épais manteau.

Enfin il entendit un sanglot étouffé. Mais Maria Peeters se cachait toujours la tête dans les couvertures et restait tournée vers le mur.

« Calmez-vous... murmura-t-il machinalement. Votre sœur Anna a dû vous dire que je suis plutôt un ami... »

Mais cela ne calmait pas la jeune fille. Au contraire ! Son corps était agité maintenant par de véritables spasmes nerveux.

« Qu'est-ce que le docteur a dit ?... En avez-vous pour longtemps à garder le lit ?... »

C'était gênant de parler ainsi à une personne invisible. Surtout que Maigret ne la connaissait même pas !

Les sanglots s'espaçaient. Elle devait repren-

129

dre son sang-froid. Elle reniflait et sa main cherchar un mouchoir sous l'oreiller.

« Pourquoi êtes-vous aussi nerveuse ? La révérende mère vient de me dire tout le bien qu'elle pense de vous !

— Laissez-moi ! » supplia-t-elle.

Et au même moment on frappait à la porte, la révérende mère entrait, comme si elle eût attendu le moment d'intervenir.

« Excusez-moi ! Je sais notre pauvre Maria si sensible...

— Elle a toujours été ainsi ?

— C'est une nature délicate... Quand elle a su que son entorse allait l'immobiliser et qu'elle serait au moins une semaine sans pouvoir donner ses cours, elle a eu une crise de désespoir... Montrez-nous votre visage, Maria... »

Et la tête de la jeune fille fit de grands signes de dénégation.

« Nous savons, bien entendu, poursuivit la supérieure, quelles sont les accusations que des gens portent sur sa famille. J'ai fait célébrer trois messes pour que la vérité ne tarde pas à éclater... Je viens encore de prier pour vous au salut, Maria... »

Elle montra enfin son visage. Un petit visage tout maigre, tout pâle, avec des taches rouges produites par la fièvre et par les larmes.

Elle ne ressemblait pas du tout à Anna, mais plutôt à sa mère, dont elle avait les traits fins mais malheureusement si irréguliers qu'elle ne pouvait passer pour jolie. Le nez était trop long, pointu, la bouche grande et mince.

« Je vous demande pardon !... dit-elle en se tamponnant les yeux de son mouchoir. Je suis trop nerveuse... Et l'idée que je suis couchée ici tandis que... Vous êtes le commissaire Maigret ? Vous avez vu mon frère ?...

— Je l'ai quitté il y a moins d'une heure. Il était chez vous, avec Anna et votre cousine Marguerite...

— Comment est-il ?

— Très calme... Il a confiance... »

Allait-elle recommencer à pleurer ? La révérende mère encourageait Maigret du regard. Elle était heureuse de le voir parler ainsi, avec un calme, une autorité qui ne pouvaient qu'impressionner favorablement une malade.

« Anna m'a annoncé que vous étiez décidée à prendre le voile... »

Maria pleurait à nouveau. Elle n'essayait même pas de s'en cacher. Elle n'avait aucune coquetterie et elle montrait son visage luisant, tuméfié.

« C'est une décision que nous attendions depuis longtemps, murmura la supérieure. Maria appartient davantage à la religion qu'au monde... »

La crise recommençait, les sanglots éclataient, douloureux, dans la gorge maigre. Et le corps s'agitait toujours, les mains s'agrippaient à la couverture.

« Vous voyez que j'ai bien fait, tout à l'heure, de ne pas laisser monter ce monsieur !... » disait tout bas la religieuse.

Maigret était toujours debout, dans son pardessus qui l'épaississait encore. Il regardait ce petit lit, cette jeune fille affolée.

« Le médecin l'a vue ?

— Oui... Il dit que l'entorse n'est rien... Le plus grave, c'est la crise nerveuse qui s'est déclarée ensuite... Voulez-vous que nous la laissions ?... Calmez-vous, Maria... Je vais vous envoyer mère Julienne, qui restera près de vous... »

La dernière image recueillie par Maigret fut la blancheur du lit, des cheveux épars sur l'oreiller et un œil qui le fixait tandis qu'à reculons il se dirigeait vers la porte.

Dans le corridor, la supérieure parlait bas, glissait sur le plancher ciré.

« Elle n'a jamais eu beaucoup de santé... Ce scandale a ébranlé ses nerfs et c'est certainement à son agitation qu'il faut imputer la chute qu'elle a faite dans l'escalier... Elle a honte pour son frère, pour les siens... Elle m'a dit plusieurs fois qu'après cela notre Ordre ne l'admettrait plus dans son sein... Des heures durant elle reste prostrée, à fixer le plafond, sans prendre la moindre nourriture... Puis, sans raison apparente, une crise éclate... On lui fait des piqûres pour la remonter... »

Ils étaient arrivés au rez-de-chaussée.

« Est-ce que je peux vous demander ce que vous pensez de cette affaire, monsieur le commissaire ?

— Vous le pouvez, mais je serais bien embarrassé de vous répondre... En toute conscience, je vous affirme que je ne sais rien. Demain seulement...

— Vous croyez que demain ?...

— Il ne me reste, ma mère, qu'à vous remercier et à m'excuser de cette visite... Peut-être me permettrai-je de vous téléphoner pour prendre des nouvelles ?...

Il était enfin dehors. Il respirait l'air frais, saturé de pluie. Il retrouvait son taxi arrêté au bord du trottoir.

« A Givet ! »

Et il bourra voluptueusement sa pipe, se coucha presque au fond de la voiture. A un tournant, aux environs de Dinant, il aperçut un poteau indicateur :

« *Grottes de Rochefort...* »

Il n'eut pas le temps de lire le nombre de kilomètres. Il plongea seulement le regard dans l'obscurité d'une route transversale. Et il évoqua un beau dimanche, un train bondé de touristes, deux couples : Joseph Peeters et Germaine Piedbœuf... Puis Anna et Gérard..

Il devait faire chaud... Au retour, les voyageurs avaient sans doute les bras chargés de fleurs des champs...

Anna sur la banquette, meurtrie, émue, déroutée, épiant peut-être le regard de l'homme qui venait de changer tout son être ?...

Et Gérard, très gai, enjoué, lançant des plaisanteries, incapable de comprendre ce qu'il y avait de grave, de presque définitif dans l'événement de l'après-midi...

Est-ce qu'il avait essayé de la revoir ? Est-ce que l'aventure avait continué ?

« Non ! se répondait Maigret à lui-même. Anna a compris ! Elle ne s'est pas fait illusion sur son compagnon ! Dès le lendemain, elle a dû l'éviter... »

Et il l'imaginait gardant son secret, craignant peut-être des mois durant les suites de cette étreinte, vouant aux hommes, à tous les hommes, une haine farouche.

« Je vous conduis à votre hôtel ? »

Déjà Givet, la frontière belge et son douanier de garde en kaki, la frontière française, les péniches, la maison des Flamands, le quai boueux.

Maigret s'étonna de sentir un objet lourd dans sa poche. Il y plongea la main et trouva le marteau auquel il ne pensait plus.

L'inspecteur Machère, qui avait entendu stopper l'auto, était sur le seuil du café et regardait Maigret payer le chauffeur.

« On vous a laissé entrer ?

134

— Parbleu !

— Cela m'étonne ! Parce que, si vous voulez le fond de ma pensée, je vous dirai que j'étais persuadé qu'elle n'était pas là...

— Où aurait-elle été ?

— Je ne sais pas... Je ne comprends plus... Surtout depuis le marteau... Savez-vous qui vient de venir me trouver ?

— Le marinier ? »

Et Maigret, qui était entré dans la salle, commandait un demi, s'asseyait dans le coin proche de la fenêtre.

« Presque !... Enfin, c'est à peu près la même chose... C'est Gérard Piedbœuf qui est venu... J'avais fait le tour des gares en auto... Je n'avais rien trouvé...

— Et il a révélé la cachette de notre homme ?

— Il m'a dit, en tout cas, qu'on l'avait vu prendre le train de 4 h 15 en gare de Givet... C'est le train qui va à Bruxelles...

— Qui l'a vu ?

— Un ami de Gérard... Il a proposé de me l'amener...

— Je mets deux couverts ? s'informa le patron.

— Oui... Non... C'est égal... »

Maigret buvait avidement sa bière.

« C'est tout ?

— Vous trouvez que ce n'est pas assez ?... Si on l'a vraiment vu à la gare, c'est qu'il n'est pas mort... Et c'est surtout qu'il est en fuite... S'il est en fuite...

— Evidemment !

— Vous pensez la même chose que moi !

— Je ne pense rien du tout, Machère ! J'ai chaud ! J'ai froid ! Je crois que j'ai attrapé un bon rhume... Et je suis en train de me tâter pour savoir si je n'irai pas me coucher sans manger... Encore un demi, garçon !... Ou plutôt non ! Un grog... Avec beaucoup de rhum...

— Elle a vraiment une entorse ? »

Maigret ne répondit pas. Il était sombre. On eût même dit qu'il était inquiet.

« En somme, le juge d'instruction a dû te remettre un mandat d'arrêt en blanc ?

— Oui... Mais il m'a conseillé d'être très prudent, à cause de la mentalité des petites villes. Il préfère que je lui téléphone avant de faire quelque chose de définitif.

— Et qu'est-ce que tu vas faire ?

— J'ai déjà télégraphié à la Sûreté de Bruxelles, pour qu'on arrête le marinier à la descente du train. Il faut que je vous demande de me remettre le marteau. »

A la grande stupeur de quelques consommateurs, le commissaire tira l'objet de sa poche et le posa sur le marbre de la table.

« C'est tout ?

— Il faudra aussi que vous déposiez, puisque c'est vous qui l'avez trouvé.

« — Mais non ! Mais non ! Le marteau, pour tout le monde, c'est toi qui l'as découvert. »

Les yeux de Machère brillèrent de joie.

« Je vous remercie. C'est précieux pour l'avancement.

— J'ai mis deux couverts près du poêle ! annonça le patron.

— Merci !... Je vais me coucher !... Je n'ai pas faim... »

Et Maigret monta dans sa chambre, après avoir serré la main de son collègue.

Il avait peut-être pris froid en circulant depuis deux jours avec des vêtements humides sur le dos, car il n'avait pas emporté de complet de rechange.

Il se coucha comme un homme harassé. Pendant une bonne demi-heure il lutta contre les images floues qui lui passaient sur la rétine à une cadence fatigante.

Il est vrai que le dimanche matin il était le premier debout. Dans le café, il ne trouva que le garçon qui allumait le percolateur et en remplissait la partie supérieure de café moulu.

La ville dormait encore. L'aube succédait à peine à la nuit et les lampes restaient allumées. Sur le fleuve, par contre, on s'interpellait d'une péniche à l'autre, on se lançait des amarres et un remorqueur allait se placer en tête de la file.

Un nouveau train de bateaux partait vers la Belgique et la Hollande.

Il ne pleuvait pas. Mais la bruine mettait des gouttelettes d'eau sur les épaules.

Les cloches d'une église sonnaient, quelque part. Une lumière à une fenêtre de la maison des Flamands. Puis la porte qu'on ouvrait. Mme Peeters qui la refermait avec soin et s'en allait à pas pressés, un missel gainé de drap à la main.

Maigret passa toute la matinée dehors, n'entrant parfois dans un café que pour avaler un verre d'alcool et se réchauffer. Les gens avertis prétendaient qu'il allait geler et que ce serait une catastrophe pour les régions que la crue avait inondées.

A sept heures et demie, Mme Peeters, retour de la messe, retira les volets de la boutique et, dans la cuisine, alluma son feu.

Vers neuf heures seulement, Joseph se montra un instant sur le seuil, sans faux col, pas encore lavé, ni rasé, les cheveux en désordre.

A dix heures, il partit pour la messe avec Anna qui portait un manteau neuf, en drap beige.

Au café de la Marine, on ne savait pas encore si un remorqueur dont on attendait l'arrivée accepterait de repartir le jour même avec un train de bateaux, si bien que les mariniers étaient là en permanence, sortant parfois pour regarder le fleuve en aval.

Il était près de midi quand Gérard Piedbœuf sortit de chez lui, en costume du dimanche, chaussé de souliers jaunes, coiffé d'un feutre clair et ganté. Il passa tout près de Maigret. Sa première idée dut être de ne pas lui adresser la parole, de ne pas même le saluer.

Mais il ne résista pas à son désir de crâner, ou de révéler le fond de sa pensée.

« Je vous gêne, n'est-ce pas ?... Ce que vous devez me détester !... »

Il avait les yeux battus. Depuis l'algarade du café de la Mairie, il vivait dans l'inquiétude.

Maigret haussa les épaules, tourna le dos. Et il vit l'accoucheuse qui mettait l'enfant dans une voiture, poussait celle-ci vers le centre de la ville.

Machère ne se montrait pas. Ce ne fut qu'un peu avant une heure que Maigret le rencontra, au café de la Mairie, précisément. Gérard était à une autre table, avec ses deux compagnes et son ami de l'autre soir.

Machère, lui, était entouré de trois hommes que le commissaire avait l'impression d'avoir déjà vus.

« L'adjoint au maire... Le commissaire de police... Son secrétaire... » présenta l'inspecteur.

Tous étaient en costume du dimanche et buvaient des apéritifs anisés. Il y avait trois soucoupes par tête. Machère montrait une assurance anormale.

« Je disais à ces messieurs que l'enquête est à peu près terminée... Cela dépend surtout maintenant de la police belge... Je m'étonne de n'avoir pas encore reçu un télégramme de Bruxelles me disant que le marinier a été arrêté...

— On ne distribue pas les télégrammes le dimanche après onze heures du matin ! affirma l'adjoint au maire. A moins que vous ne vous soyez présenté à la poste... Qu'est-ce qu'on peut vous offrir, monsieur le commissaire ?... Savez-vous qu'on a beaucoup parlé de vous dans le pays ?...

— J'en suis ravi !

— Je veux dire qu'on en a parlé en mal. On a interprété votre attitude comme...

— Un demi, garçon ! Bien frais !

— Vous buvez de la bière à cette heure-ci ? »

Marguerite passait dans la rue et on sentait à son maintien qu'elle était l'élégante de la ville et qu'elle savait que tous les regards étaient braqués sur elle.

« Ce qui est ennuyeux, c'est que ces affaires de mœurs... Tenez ! Il y a dix ans qu'il n'y en a pas eu à Givet... La dernière fois, c'était un ouvrier polonais qui...

— Vous m'excuserez, messieurs... »

Et Maigret se précipita dehors, rejoignit dans la rue principale Anna Peeters et son frère qui marchaient tête haute, comme pour défier la suspicion.

« Je me permettrai d'aller vous voir cet après-midi, comme je vous l'ai annoncé hier...

— Vers quelle heure ?

— Trois heures et demie... Cela vous convient ?...

Et il retourna tout seul, l'air grognon, à son hôtel, où il mangea à une table isolée.

« Vous me demanderez Paris au téléphone.

— Il ne fonctionne pas le dimanche après onze heures.

— Tant pis ! »

Tout en déjeunant, il lut un petit journal local et un titre l'amusa :

LE MYSTÈRE DE GIVET S'ÉPAISSIT

Pour lui, il n'y avait plus de mystère.

« Vous me rendrez des haricots !... » lança-t-il au garçon.

9

AUTOUR D'UN FAUTEUIL D'OSIER

De tous les petits rites familiaux du dimanche, celui qui frappa le plus Maigret ce fut le fait de transporter de la cuisine au salon le fauteuil d'osier du vieux Peeters.

En semaine, la place du fauteuil, et par conséquent du vieillard, était près du fourneau. Même si l'on recevait du monde dans la salle à manger, Peeters ne se montrait pas.

Mais il y avait une place du dimanche, près de la fenêtre donnant sur la cour. La pipe en écume, au long tuyau de merisier, était sur l'appui de fenêtre, près d'un pot de tabac.

Installé dans un fauteuil plus petit, en cuir, le docteur Van de Weert, face au feu de boulets, croisait ses jambes grassouillettes.

Tandis qu'il lisait le rapport du médecin légiste belge, il ne cessait de dodeliner de la tête, d'approuver, de s'étonner, d'esquisser pour lui seul de menus gestes.

Enfin il tendit le rapport à Maigret. Marguerite, qui se trouvait entre eux, voulut le prendre.

« Non ! pas toi... intervint Van de Weert.

— Cela vous intéresse sans doute davantage ! » dit Maigret en passant les feuillets à Joseph Peeters.

Ils étaient tous autour de la table : Joseph et Marguerite, Anna et sa mère qui se levait de temps en temps pour aller surveiller le café.

A la mode belge, le docteur buvait du bourgogne en fumant un cigare dont il promenait sans cesse le bout allumé sous son menton.

Sur la table de la cuisine, Maigret avait vu en passant une demi-douzaine de tartes préparées.

« Un bon rapport, évidemment... Par exemple, il ne dit pas si... si... »

Il regarda sa fille d'un air embarrassé.

« Vous comprenez ce que je veux dire... Il ne dit pas si...

— S'il y a eu viol ! » lâcha Maigret tout à trac.

Et il faillit éclater de rire en voyant la mine scandalisée du docteur, qui n'imaginait pas que des mots pareils pussent être prononcés.

« Cela aurait été intéressant à savoir, car dans des cas pareils... Tenez ! en 1911... »

Il continua à parler, racontant, avec de décentes périphrases, une affaire quelconque. Mais le commissaire ne l'écoutait pas. Il regardait Joseph Peeters qui lisait le document.

Or, celui-ci faisait, sans ménagement aucun, une description minutieuse du cadavre de Germaine Piedbœuf tel qu'il avait été retiré de la Meuse.

Joseph était pâle. Il avait les narines pincées, ce qui lui était commun avec sa sœur Maria.

On aurait pu croire qu'il allait abandonner sa lecture, rendre les papiers à Maigret. Mais il n'en fut rien. Il alla jusqu'au bout. Comme il tournait la page, Anna, qui était penchée sur son épaule, l'arrêta :

« Attends... »

Elle avait encore trois lignes à lire. Puis tous deux commencèrent ensemble la page suivante qui débutait par :

« ... *l'ouverture de la boîte crânienne était telle qu'il a été impossible de retrouver la moindre parcelle de cervelle...* »

« Vous voulez prendre votre verre, monsieur le commissaire ? Je vais mettre la table... »

Et Mme Peeters posait le cendrier, les cigares et la carafe de genièvre sur la cheminée, étalait sur la table une nappe brodée à la main.

Ses enfants lisaient toujours. Marguerite les regardait avec envie. Quant au docteur, il s'était aperçu qu'on ne l'écoutait pas et il fumait en silence.

A ia fin de la deuxième page, Joseph Peeters était livide, avec un creux sombre de chaque côté du nez ? Des moiteurs aux tempes. Il oublia de tourner le feuillet et Anna dut le faire, fut seule à poursuivre jusqu'au bout sa lecture.

Marguerite en profita pour se lever, toucher l'épaule du jeune homme.

« Mon pauvre Joseph !... Tu n'aurais pas dû... Crois-moi : va prendre l'air un instant... »

Maigret en profita.

« C'est une idée ! J'ai besoin de me dégourdir les jambes, moi aussi... »

Un peu plus tard, ils étaient tous les deux sur le quai, nu-tête. Il ne pleuvait plus. Quelques pêcheurs à la ligne profitaient des moindres espaces libres entre les péniches. On entendait, de l'autre côté du pont, la sonnerie ininterrompue d'un cinéma.

Nerveusement, Peeters alluma une cigarette, le regard perdu sur la face fuyante de l'eau.

« Cela vous fait quelque chose, n'est-ce pas ?... Excusez ma question... Est-ce que, maintenant, vous comptez épouser Marguerite ?... »

Le silence dura longtemps. Joseph évitait de se tourner vers Maigret, qui ne voyait que son profil. Enfin il regarda la porte de la boutique, décorée de réclames transparentes, puis le pont, puis encore la Meuse.

« Je ne sais pas...

— Pourtant, vous l'aimiez...

— Pourquoi m'avez-vous fait lire ce rapport ? »

146

Et il se passa la main sur le front. Il la retira mouillée, malgré le froid de l'air.

« Est-ce que Germaine était beaucoup moins jolie ?

— Taisez-vous... Je ne sais pas... J'ai tellement entendu répéter que Marguerite est belle qu'elle est fine, intelligente, bien élevée...

— Et maintenant ?

— Je ne sais pas... »

Il n'avait pas envie de parler. Il n'articulait les mots qu'à contrecœur, parce qu'il lui était impossible de se taire tout à fait. Il avait déchiré le papier de sa cigarette.

« Elle accepte de se marier, malgré votre fils ?

— Elle veut l'adopter. »

Ses traits ne bougeaient pas. Mais on le sentait malade d'écœurement, ou de lassitude. Il observait Maigret du coin de l'œil, avec la crainte de le voir poser de nouvelles questions.

« Chez vous, tout le monde semble considérer que le mariage aura lieu bientôt... Est-ce que Marguerite est votre maîtresse ? »

Il gronda, très bas :

« Non...

— Elle n'a pas voulu ?

— Ce n'est pas elle... C'est moi... Je n'y ai même jamais pensé... Vous ne pouvez pas comprendre... »

Et, soudain rageur :

« Il faudra bien que je l'épouse ! C'est nécessaire ! Voilà ! »

Les deux hommes ne se regardaient toujours pas. Maigret, qui n'avait pas son pardessus, commençait à se ressentir de la fraîcheur.

A cet instant, la porte de la boutique s'ouvrit. On entendit le timbre qui était déjà familier au commissaire. Puis la voix de Marguerite, trop douce, trop enveloppante.

« Joseph !... Qu'est-ce que tu fais ?... »

Le regard de Peeters croisa celui de Maigret. On eût dit qu'il répétait :

« Voilà ! »

Tandis que Marguerite poursuivait :

« Tu vas prendre froid... Tout le monde est à table... Qu'est-ce que tu as ?... Tu es pâle... »

Un temps d'arrêt, pour regarder l'angle de la petite rue où se dressait, invisible de l'épicerie, la maison des Piedbœuf.

Anna découpait les tartes.

* *

Mᵐᵉ Peeters parlait peu, comme si elle se fût rendu compte de son infériorité. Par contre, dès qu'un de ses enfants parlait, elle approuvait par des sourires ou des hochements de tête.

« Vous excuserez mon indiscrétion, monsieur le commissaire... Je vais peut-être dire une bêtise... »

Et elle portait sur l'assiette de Maigret un grand quartier de tarte au riz.

« ... J'ai entendu dire qu'on avait retrouvé des

objets à bord de l'*Etoile Polaire* et que le marinier était en fuite... Il est venu plusieurs fois ici... J'ai dû le mettre dehors, d'abord parce qu'il veut tout à crédit, ensuite parce qu'il est ivre du matin au soir... Mais ce n'est pas ce que je voulais dire... S'il est en fuite, c'est qu'il est coupable... Et, dans ce cas, l'enquête est finie, n'est-ce pas ?... »

Anna mangeait avec indifférence, sans regarder Maigret. Marguerite disait à Joseph :

« Un petit morceau... Je t'en prie !... Fais cela pour moi... »

Et Maigret, la bouche pleine, s'adressait à Mme Peeters :

« Je pourrais vous répondre si j'avais la direction de l'enquête, ce qui n'est pas le cas... N'oubliez pas que c'est votre fille qui m'a prié de venir ici pour essayer de prouver votre innocence... »

Van de Weert s'agitait sur sa chaise, comme un homme qui veut parler et à qui on ne laisse pas placer un mot.

« Mais enfin...

— L'inspecteur Machère reste maître de la situation et...

— Mais enfin, commissaire, il existe pourtant une hiérarchie... Ce n'est qu'un inspecteur et vous êtes...

— Ici, je ne suis rien... Tenez ! A l'instant même, je voudrais interroger l'un de vous qu'il aurait le droit de ne pas répondre... Je suis allé à bord de la péniche parce que le marinier l'a bien voulu... Le hasard m'a fait découvrir l'arme du crime, ainsi que le petit manteau que portait la victime...

— Mais alors...

— Alors rien! On va essayer d'arrêter l'homme. A l'heure qu'il est, c'est peut-être fait! Seulement, il est capable de se défendre. Par exemple, il peut dire qu'il a trouvé ce vêtement et ce marteau et qu'il les a gardés sans savoir ce qu'ils représentaient... Il peut dire aussi qu'il s'est enfui sous le coup de la peur... Il a déjà eu des démêlés avec la justice... Il sait qu'on le croira plus difficilement qu'un autre...

— Cela ne tient pas debout!

— Une accusation ne tient presque jamais debout, pas plus que la défense... On pourrait en accuser d'autres... Savez-vous ce que j'ai appris ce midi?... Que Gérard, le frère de Germaine, ne sait depuis un mois comment il se tirera du mauvais pas dans lequel il s'est mis... Il a des dettes partout... Pis que cela! On l'a convaincu d'avoir pris de l'argent dans la caisse et, jusqu'à concurrence de la somme, on retient chaque mois la moitié de son traitement...

— C'est vrai?

— De là à dire qu'il a fait disparaître sa sœur pour obtenir des dommages-intérêts...

— Ce serait affreux! soupira Mme Peeters, que cette conversation empêchait de manger.

— Vous l'avez assez bien connu, vous ! dit Maigret en se tournant vers Joseph.

— Il y a longtemps, je l'ai un peu fréquenté...

— Avant la naissance de l'enfant, n'est-ce pas ?... Vous êtes allé plusieurs fois faire des excursions ensemble... Si je ne me trompe, votre sœur vous a même accompagnés aux grottes de...

— C'est vrai ? s'étonna Mme Peeters en se tournant vers sa fille. Je ne savais pas cela.

— Je ne me souviens pas ! dit Anna qui ne s'arrêta pas de manger et dont le regard était fixé sur le commissaire.

— C'est d'ailleurs sans importance... Mais qu'est-ce que je disais ?... Voulez-vous me donner un morceau de tarte, mademoiselle Anna ?... Non, pas aux fruits... Je reste fidèle à votre magnifique tarte au riz... C'est vous qui l'avez faite ?

— C'est elle ! » se hâta d'affirmer la mère.

Et le silence se fit soudain, parce que Maigret se taisait et que personne n'osait prendre la parole. On perçut le bruit des mâchoires. Le commissaire laissa tomber sa fourchette par terre et dut se baisser pour la ramasser. Dans ce mouvement, il vit que le pied finement chaussé de Marguerite était posé sur le pied de Joseph.

« L'inspecteur Machère est un garçon débrouillard !

— Il n'a pas l'air très intelligent ! » articula lentement Anna.

Et Maigret lui sourit d'un sourire complice.

« Si peu de gens ont l'air intelligent ! Moi, par exemple, dès que je me trouve en présence d'un coupable possible, j'ai soin de faire l'imbécile... »

C'était bien la première fois que Maigret se laissait aller à ce qui pouvait passer pour des confidences.

« Votre front ne peut changer ! se hâta de déclarer poliment le docteur Van de Weert. Et, pour quelqu'un qui a fait un peu de phrénologie... Tenez ! Je suis certain que vous êtes terriblement emporté... »

Le goûter finissait enfin. Le commissaire, le premier, repoussait sa chaise, prenait sa pipe qu'il se mettait en devoir de bourrer.

« Savez-vous ce que vous devriez faire, mademoiselle Marguerite ? Vous mettre au piano et nous jouer la *Chanson de Solveig*... »

Elle hésita, regarda Joseph pour lui demander conseil, tandis que Mme Peeters murmurait :

« Elle joue si bien !... Et elle chante !...

— Je ne regrette qu'une chose : c'est que l'entorse de Mlle Maria l'empêche d'être parmi nous... Pour mon dernier jour... »

Anna tourna vivement la tête dans sa direction.

« Vous partez bientôt ?

— Ce soir... Je ne suis pas rentier... En outre, je suis marié et ma femme s'impatiente...

— Et l'inspecteur Machère ?

152

— Je ne sais pas ce qu'il décidera... Je suppose... »

Le timbre de la boutique résonnait. Il y avait des pas précipités, puis des coups frappés à la porte.

C'était Machère lui-même, très agité.

« Le commissaire est-il ici ? »

Il ne l'avait pas vu tout de suite, étonné qu'il était de tomber en pleine réunion de famille.

« Qu'est-ce qu'il y a ?

— Il faut que je vous parle.

— Vous permettez ? »

Et il accompagna l'inspecteur jusqu'à la boutique où il s'accouda au comptoir.

***

« Ce que je peux avoir horreur de ces gens-là ! »

Machère, crispé, désignait du menton la porte de la salle à manger.

« Rien que l'odeur de leur café et de leur tarte...

— C'est ce que tu voulais me dire ?

— Non ! J'ai des nouvelles de Bruxelles... Le train y est bien arrivé à l'heure prévue...

— Mais le marinier n'y était plus !

— Vous le saviez déjà ?

— Je m'en doutais ! Est-ce que tu l'as pris pour un imbécile ? Moi pas ! Il a dû descendre dans une petite gare, prendre un autre train, puis un autre encore... Ce soir, il sera peut-être en Allemagne, peut-être à Amsterdam, peut-être même à Paris... »

Mais Machère le regardait en ricanant.

« S'il avait de l'argent !

— Que veux-tu dire ?

— Que j'ai fait mon enquête. L'homme s'appelle Cassin. Hier matin, il n'était pas capable de régler son ardoise chez le bistrot et on a refusé de lui servir à boire... il y a mieux que cela ! Il devait de l'argent à tout le monde... Au point que les commerçants avaient décidé de ne pas laisser partir son bateau... »

Maigret regardait son compagnon avec une parfaite indifférence.

« Et puis ?

— Je ne m'en suis pas tenu là. Et cela a été dur, parce que nous sommes dimanche et que la plupart des gens ne sont pas chez eux... Je suis allé jusqu'au cinéma pour interroger certaines personnes... »

Maigret, tout en fumant sa pipe, s'amusait à mettre des poids sur les deux plateaux de la balance, en essayant de réaliser l'équilibre.

« J'ai découvert que Gérard Piedbœuf a emprunté deux mille francs, hier, en donnant comme garantie la signature de son père, car personne ne voulait de la sienne...

— Ils se sont rencontrés ?

— Justement ! Un douanier a vu Gérard

154

Piedbœuf et Cassin qui marchaient le long de la berge, ensemble, du côté de la douane belge...

— Quelle heure était-il ?

— A peu près deux heures...

— C'est parfait !

— Qu'est-ce qui est parfait ? Si Piedbœuf a donné de l'argent au marinier...

— Attention aux conclusions, Machère ! C'est tellement dangereux de vouloir conclure...

— N'empêche que l'homme, qui n'avait pas un sou le matin, est parti par le train l'après-midi, et qu'il avait de l'argent en poche. Je suis allé à la gare. Il a payé sa place avec un billet de mille francs... Il paraît qu'il en avait d'autres...

— Ou *un* autre ?

— Peut-être d'autres, peut-être un autre... Qu'est-ce que vous feriez, à ma place ?

— Moi ?

— Oui. »

Maigret soupira, frappa sa pipe contre son talon pour la vider, montra la porte de la salle à manger :

« Je viendrais prendre un bon verre de genièvre... Surtout qu'on va nous jouer un morceau de piano !

— C'est tout ce que...

— Allons ! viens... Tu n'as quand même plus rien à faire en ville à cette heure-ci... Où est Gérard Piedbœuf ?

— Au cinéma *Scala,* avec une ouvrière de l'usine.

— Je parie qu'ils ont pris une loge ! »

Et Maigret, avec un rire silencieux, poussa son collègue vers la pièce commune où la pénombre commençait à estomper les contours. Un filet de fumée montait lentement du fauteuil de Van de Weert. Mme Peeters était dans la cuisine, occupée à ranger la vaisselle. Marguerite, au piano, laissait ses doigts aller et venir nonchalamment sur les touches.

« Vous tenez vraiment à ce que je joue ?

— J'y tiens... Assieds-toi ici, Machère... »

Joseph était debout, le coude droit sur la cheminée, le regard fixé sur la fenêtre glauque.

> *L'hiver peut s'enfuir*
> *Le printemps bien-aimé*
> *Peut s'écouler...*
> *Les feuilles d'automne*
> *Et les fruits de l'été*
> *Tout peut passer...*

La voix manquait de fermeté. Marguerite faisait un effort pour aller jusqu'au bout. Deux fois elle rata ses accords.

> *Mais tu me reviendras,*
> *ô mon beau fiancé,*
> *Pour ne plus me quitter...*

Anna n'était plus là. Elle n'était pas dans la cuisine, où on entendait Mme Peeters aller et venir en faisant aussi peu de bruit que possible, par respect pour la musique.

... je t'ai donné mon cœur...

Marguerite ne pouvait pas voir la silhouette lugubre de Joseph, qui avait laissé éteindre sa cigarette.

Maintenant que la nuit tombait, le feu de boulets mettait des reflets pourpres sur tous les objets, surtout sur les pieds vernis de la table.

Au grand étonnement de Machère, qui n'osa pas bouger, Maigret sortit d'un mouvement si insensible que cela passa inaperçu. Il monta l'escalier sans faire craquer une seule marche, se trouva devant deux portes closes.

Le palier était déjà dans une obscurité quasi complète. Seuls les boutons des portes faisaient deux taches laiteuses, car ils étaient en porcelaine.

Enfin le commissaire mit sa pipe tout allumée dans sa poche, tourna un des boutons, entra et referma l'huis derrière lui.

Anna était là. A cause des rideaux, la pièce était plus sombre que la salle à manger. C'était comme une poussière grise, plus opaque par places, entre autres dans les angles, qui flottait dans l'air.

Anna ne bougeait pas. Est-ce qu'elle n'avait rien entendu ?

Elle était devant la fenêtre, à contre-jour, le

visage tourné vers le paysage crépusculaire de la Meuse. Sur l'autre rive, on avait allumé des lampes qui dardaient des rayons aigus dans le clair-obscur.

De dos, on aurait pu croire qu'Anna pleurait. Elle était grande. Elle paraissait plus vigoureuse, plus « statue » que jamais.

Et sa robe grise se fondait littéralement dans l'ambiance.

Une lame du plancher, une seule, gémit au moment où Maigret n'était plus qu'à un pas de la jeune fille, mais cela ne la fit pas tressaillir.

Alors il posa la main sur l'épaule, avec une douceur surprenante, en même temps qu'il soupirait, comme un homme qui peut s'abandonner enfin aux confidences :

« Et voilà ! »

Elle se tourna vers lui, tout d'une pièce. Elle était calme. Pas une ride ne venait rompre la sévère harmonie de ses traits.

Rien que le cou qui se gonflait un peu, lentement, sous une mystérieuse pression intérieure...

Les notes du piano arrivaient avec netteté et on distinguait toutes les syllabes de la *Chanson de Solveig*.

> *Que Dieu veuille encore,*
> *Dans sa grande bonté*
> *Te protéger...*

Et deux yeux clairs cherchaient les yeux de Maigret tandis que les lèvres, qui avaient failli se soulever dans un sanglot, devenaient de la même rigidité qu'Anna tout entière.

10

LA CHANSON DE SOLVEIG

« Qu'est-ce que vous faites ici ? »

Chose étrange, le ton n'était pas agressif. Anna regardait Maigret avec ennui, peut-être avec effroi, mais pas avec haine.

« Vous avez entendu ce que j'ai dit tout à l'heure. Je pars ce soir. Nous venons personnellement de vivre quelques jours dans une intimité assez étroite… »

Et il regardait autour de lui le lit des deux jeunes filles, la peau d'ours blanc qui leur servait de carpette, le papier de tenture à petites fleurs roses, l'armoire à glace qui ne reflétait déjà plus que les ombres de la nuit.

« Je n'ai pas voulu partir sans avoir un dernier entretien avec vous… »

Le rectangle de la fenêtre formait comme un écran sur lequel la silhouette d'Anna se découpait, plus indécise, à mesure que les minutes s'écoulaient. Et Maigret s'avisa d'un détail qu'il n'avait pas encore remarqué. Une heure plus tôt

161

il n'aurait pu dire comme elle était coiffée. Il le savait maintenant. Ses cheveux longs, tressés serré, s'appuyaient sur la nuque en une lourde torsade.

« Anna !... » cria la voix de Mme Peeters dans le corridor du rez-de-chaussée.

Le piano s'était tu. On s'était avisé de la disparition des deux personnages.

« Oui !... Je suis ici...

— Tu as vu le commissaire ?

— Oui !... Nous descendons... »

Pour répondre, elle avait marché jusqu'à la porte. Elle revint vers son compagnon, très grave, le regard d'une fixité dramatique.

« Qu'est-ce que vous avez à me dire ?

— Vous le savez bien ! »

Elle ne détourna pas la tête. Elle continua à le considérer ardemment, les mains jointes sur le ventre dans une pose qui était déjà une pose de vieille.

« Qu'est-ce que vous allez faire ?

— Je vous l'ai dit : rentrer à Paris... »

Alors, quand même, la voix se voila.

« Et moi ? »

C'était la première fois qu'on décelait une émotion en elle. Elle s'en apercevait elle-même. Et, sans doute pour s'aider à surmonter son trouble, elle marcha vers le commutateur électrique qu'elle tourna.

La lampe avait un abat-jour de soie jaune et

n'éclairait qu'un cercle de deux mètres de dia-
mètre sur le plancher.

« Il faut que je vous pose d'abord une question ! dit Maigret. Qui a fourni l'argent ? Il fallait
aller vite, n'est-ce pas, réunir les fonds en
quelques minutes. La banque était fermée. Vous
ne devez pas garder de grosses sommes dans la
maison. Vous n'avez pas le téléphone… »

C'était lent. Le silence, autour d'eux, était
d'une intensité rare.

Et Maigret continuait à respirer cette atmosphère quiète de petite bourgeoisie. On devinait
un murmure de voix, en bas, le docteur Van de
Weert tendant ses courtes jambes vers le poêle,
Joseph et Marguerite se regardant sans mot dire,
Machère qui devait s'impatienter et Mme Peeters
prenant quelque travail de couture ou encore
emplissant les verres de genièvre.

Mais toujours le commissaire retrouvait les
prunelles claires d'Anna qui finit par articuler :

« C'est Marguerite…

— Elle avait l'argent chez elle ?

— De l'argent et des titres. Elle gère elle-
même la part de fortune qui lui revient de sa
mère. »

Et Anna répéta :

« Qu'est-ce que vous allez faire ? »

Au moment où elle disait cela, ses yeux
s'humectèrent mais ce fut si bref que Maigret
put croire qu'il se trompait.

« Et vous ? »

Le fait que cette question revenait sans cesse prouvait qu'ils avaient peur, l'un comme l'autre, d'aborder le sujet principal.

« Comment avez-vous attiré Germaine Pied-bœuf dans votre chambre ?... Attendez ! ne répondez pas tout de suite... Elle est venue d'elle-même ce soir-là, pour demander des nouvelles de Joseph et réclamer la pension de l'enfant... Votre mère l'a reçue... Vous êtes entrée aussi dans la boutique... Est-ce que vous saviez que vous alliez tuer ?

— Oui ! »

Plus d'émotion, de panique. Une voix nette.

« Depuis quand ?

— A peu près un mois. »

Et Maigret s'assit au bord du lit, du lit des deux jeunes filles, d'Anna et Maria, se passa la main sur le front en regardant le papier de tenture qui servait de toile de fond à son adversaire.

On eût dit maintenant qu'elle était fière de son geste. Elle en revendiquait toute la responsabilité. Elle proclamait la préméditation.

« Vous aimez tant votre frère que cela ? »

Il le savait. Et ce n'était pas seulement le cas d'Anna. Cela tenait-il à ce que le vieux Peeters avait depuis longtemps cessé de compter pour son entourage ? Les trois femmes, en tout cas, sa mère et ses deux sœurs, avaient pour le jeune homme une même adoration qui, chez Anna, évoquait presque des idées équivoques.

Il n'était pas beau. Il était maigre. Ses traits étaient irréguliers. Sa longue silhouette, son grand nez, ses yeux aux prunelles fatiguées respiraient l'ennui.

Il n'en était pas moins un dieu! Et c'était comme un dieu aussi que Marguerite l'aimait!

Cela ressemblait à une suggestion collective et l'on évoquait les deux sœurs, la mère et la cousine passant des après-midi à parler de lui...

« Je n'ai pas voulu qu'il se tue! »

Du coup, Maigret faillit se fâcher. Il se leva d'une détente, arpenta la chambre de long en large.

« Il a dit ça?

— S'il avait dû épouser Germaine, il se serait tué le soir de ses noces... »

Il ne rit pas, mais il eut un terrible haussement d'épaules. Il se souvenait des confidences de Joseph, l'autre soir! Joseph qui ne savait même plus qui il aimait! Joseph qui avait presque aussi peur de Marguerite que de Germaine Piedbœuf!

Seulement, pour flatter ses sœurs, pour garder leur admiration, il s'était donné des allures romantiques.

« Sa vie était brisée... »

Parbleu! Tout cela cadrait très bien avec *La Chanson de Solveig!*

> *Mais tu me reviendras...*
> *ô mon beau fiancé...*

Et ils avaient tous coupé là-dedans ! Ils s'étaient dopés à force de musique, de poésies et de confidences.

Il était joli, pourtant, le fiancé, avec ses vestons mal coupés et ses yeux de myope !

« Vous aviez parlé de votre projet à quelqu'un ?

— A personne !

— Pas même à lui ?

— Surtout pas à lui !

— Et vous aviez le marteau dans votre chambre depuis un mois ? Attendez ! Je commence à comprendre ! »

Il commençait aussi à respirer violemment, car il se laissait prendre par ce qu'il y avait à la fois de tragique et de mesquin dans ce drame.

C'est à peine s'il osait encore regarder Anna, qui ne bougeait pas.

« Il ne fallait pas que vous soyez prise, n'est-ce pas ? Car alors Joseph n'aurait pas osé épouser Marguerite ! Vous avez pensé à toutes les armes possibles ! Le revolver fait trop de bruit ! Germaine ne mangeant jamais ici, vous ne pouviez vous servir du poison... Si vos mains avaient été assez fortes, vous l'auriez sans doute étranglée...

— J'y ai pensé.

— Taisez-vous, nom de Dieu !... Vous êtes allée chercher le marteau dans quelque chantier, car vous n'êtes pas bête assez pour avoir pris un outil appartenant à la maison...

166

« Sous quel prétexte avez-vous décidé Germaine à vous suivre ? »

Et elle récita avec indifférence :

« Elle avait pleuré, dans le magasin... C'était une femme qui pleurait toujours... Ma mère lui avait donné cinquante francs sur sa mensualité... Je suis sortie avec elle... Je lui ai promis de lui donner le reste...

— Et vous avez contourné la maison toutes les deux, dans la nuit... Vous êtes rentrées par la porte de derrière et vous êtes montées au premier... »

Il regarda la porte, gronda d'une voix qu'il voulait ferme :

« Vous avez ouvert la porte... Vous avez fait passer votre compagne devant vous... Le marteau était prêt...

— Non !

— Quoi, non ?

— Je n'ai pas frappé tout de suite... Peut-être même que je n'aurais pas eu le courage de frapper... Je ne sais pas... Seulement, cette fille a dit en regardant le lit :

« — C'est ici que mon frère vient vous retrouver ?... Vous avez de la chance : vous savez éviter les enfants, vous !... »

Pas un détail qui ne fût bêtement, salement quotidien.

« Combien de coups ?

— Deux... Elle est tombée tout de suite... Je l'ai poussée sous le lit...

— Et, en bas, vous avez retrouvé votre mère, votre sœur Maria, ainsi que Marguerite qui venait d'arriver...

— Ma mère était dans la cuisine avec mon père, occupée à moudre le café du lendemain matin...

— Eh bien, Anna ! cria à nouveau la voix de Mme Peeters. L'inspecteur veut partir... »

Et ce fut Maigret qui, penché sur la rampe, répliqua :

« Qu'il attende ! »

Il referma la porte à clef.

« Vous avez mis votre sœur et Marguerite au courant ?

— Non ! Mais je savais que Joseph allait venir. Je n'étais pas capable de faire seule ce que j'avais à faire. En plus, je ne voulais pas qu'on voie mon frère dans la maison. J'ai dit à Maria d'aller l'attendre sur le quai afin qu'il ne se montre pas et qu'il laisse sa moto aussi loin que possible...

— Maria s'est étonnée ?

— Elle a eu peur. Elle ne comprenait pas. Mais elle a bien senti qu'elle devait obéir... Marguerite était au piano... Je lui ai demandé de jouer et de chanter... Car je savais que nous ferions du bruit, là-haut...

— Et c'est vous encore qui avez eu l'idée du réservoir du toit ! »

Il alluma sa pipe, qu'il avait bourrée machinalement.

168

« Joseph est venu vous rejoindre dans votre chambre. Qu'est-ce qu'il a dit en voyant ?...

— Rien ! Il ne comprenait pas ! Il me regardait avec épouvante. C'est à peine s'il a été capable de m'aider...

— A hisser le corps par la lucarne et à le traîner dans la corniche jusqu'au réservoir galvanisé ! »

De grosses gouttes de sueur coulaient sur le front du commissaire, qui grommela pour lui-même :

« Formidable ! »

Elle feignit de ne pas entendre.

« Si je n'avais pas tué cette femme, c'est Joseph qui serait mort...

— Quand avez-vous dit la vérité à Maria ?

— Jamais !... Elle n'a pas osé me questionner... Lorsqu'on a appris la disparition de Germaine, elle s'est doutée de quelque chose... C'est depuis lors qu'elle est malade...

— Et Marguerite ?

— Si elle a des soupçons, elle ne veut pas savoir... Vous comprenez ?... »

S'il comprenait ! Mme Peeters qui continuait à aller et venir dans la maison sans se douter de rien et qui s'indignait des accusations des gens de Givet !

Le père Peeters, lui, se contentait de fumer des pipes dans son fauteuil d'osier où il s'endormait deux ou trois fois par jour...

Joseph se montrait le moins possible, regagnait Nancy, laissait à sa sœur le soin de se défendre.

Et Maria était à la torture, passait ses journées au couvent des ursulines avec l'angoisse d'apprendre, le soir en rentrant, que tout était découvert.

« Pourquoi avez-vous retiré le corps du réservoir ?

— Il aurait fini par sentir... J'ai attendu trois jours... Le samedi, quand Joseph est revenu, nous l'avons transporté ensemble jusqu'à la Meuse... »

Elle avait, elle aussi, des gouttes de sueur, mais pas sur le front : au-dessus de la lèvre supérieure, exactement où la peau était duvetée.

« Quand j'ai vu que l'inspecteur nous soupçonnait et menait son enquête rageusement, j'ai pensé que le meilleur moyen de faire taire les gens était de m'adresser moi-même à la police... Si on n'avait pas retrouvé le corps...

— On aurait classé l'affaire ! » gronda-t-il.

Et il ajouta en recommençant à marcher :

« Seulement, il y avait le marinier, qui avait vu jeter le corps à l'eau et qui avait repêché le marteau et la veste... »

Et son cynisme, à lui aussi, ne dépassait-il pas celui des bandits professionnels ? Il ne disait rien à la police ! Ou plutôt il mentait ! Il laissait entendre qu'il en savait plus long qu'il ne voulait bien l'avouer !

A Gérard Piedbœuf, il allait déclarer qu'il

pouvait faire condamner les Peeters et, comme prix de ce témoignage, il recevait deux mille francs.

Mais il ne témoignait pas. Il s'adressait à Anna. Il lui mettait, à elle aussi, le marché en main.

Ou bien elle ne lui donnerait rien et il parlerait. Ou bien elle lui verserait la forte somme et il quitterait le pays, laissant ainsi les soupçons peser sur lui, les détournant de la maison des Flamands !

C'était Marguerite qui avait payé ! Il fallait faire vite ! Maigret avait déjà trouvé le marteau ! Anna ne pouvait pas quitter l'épicerie sans attirer l'attention ! Elle remettait un mot pour sa cousine au marinier.

Et celle-ci accourait un peu plus tard.

« Que se passe-t-il ?... Pourquoi as-tu ?...

— Chut !... Joseph va arriver... Vous vous marierez bientôt... »

Et la vaporeuse Marguerite n'osait pas en demander davantage.

Le samedi soir, il y avait dans la maison une atmosphère de détente. Le danger était conjuré. Le marinier était en fuite ! Il suffisait désormais qu'il ne se fît pas prendre !

« Et, comme vous craigniez la nervosité de votre sœur Maria, grogna Maigret, vous lui avez conseillé de rester à Namur, de se faire porter malade ou de se donner une entorse... »

Il étouffait. On entendait à nouveau le piano,

171

mais il jouait cette fois : *Le Comte de Luxem-
bourg* !

*
* *

Anna se rendait-elle compte de la monstruo-
sité de son geste ? Elle restait absolument calme.
Elle attendait. Son regard avait toujours la
même limpidité.

« Ils vont s'inquiéter, en bas ! dit-elle.

— C'est vrai ! descendons... »

Mais elle ne bougeait pas. Elle restait debout
au milieu de la chambre, arrêtant son compagnon d'un geste.

« Qu'est-ce que vous allez faire ?

— Je vous l'ai dit trois fois ! soupira Maigret
avec lassitude. Je rentre à Paris ce soir.

— Mais... pour...

— Le reste ne me regarde pas ! Je suis ici sans
mission. Voyez l'inspecteur Machère...

— Vous lui direz ? »

Il ne répondit pas. Il était déjà sur le palier. Il
respirait l'odeur douce et sucrée éparse dans
toute la maison et la pointe de canelle qui
dominait lui rappelait de vieux souvenirs.

Il y avait une raie lumineuse sous la porte de
la salle à manger. On entendait plus distincte-
ment la musique.

Maigret poussa l'huis, s'étonna de voir Anna,
qu'il n'avait pas entendue, entrer en même
temps que lui.

172

« Qu'est-ce que vous complotiez tous les deux ? questionna le docteur Van de Weert, qui venait d'allumer un énorme cigare et qui en suçait le bout comme un enfant suce une tétine.

— Excusez-nous. Mlle Anna me demandait des renseignements au sujet d'un voyage que, je crois, elle veut entreprendre un de ces jours... »

Marguerite avait brusquement cessé de jouer.

« C'est vrai, Anna ?

— Oh ! pas tout de suite... »

Et Mme Peeters, qui tricotait, les regardait tous avec un rien d'inquiétude.

« J'ai rempli votre verre, monsieur le commissaire... Je connais vos goûts, maintenant... »

Machère, le front soucieux, observait son collègue en essayant de deviner ce qui s'était passé.

Quant à Joseph, il avait le sang à la tête, car il avait bu plusieurs verres de genièvre coup sur coup. Ses yeux étaient brillants, ses mains agitées.

« Voulez-vous me faire un plaisir, mademoiselle Marguerite ? Jouez-moi une dernière fois *La Chanson de Solveig...* »

Et, s'adressant à Joseph :

« Pourquoi ne lui tournez-vous pas les pages ? »

C'était de la perversité, comme quand on appuie du bout de la langue sur une dent malade afin de provoquer la douleur.

De la place où il était, un coude sur la

cheminée, son verre de schiedam à la main, Maigret dominait tout le salon, Mme Peeters penchée sur la table et auréolée par la lumière de la lampe, Van de Weert qui fumait en étirant ses petites jambes, Anna qui restait debout contre le mur.

Et, au piano, Marguerite qui jouait et chantait, Joseph qui tournait les pages...

Le dessus de l'instrument était garni d'une broderie et de nombreuses photographies : Joseph, Maria et Anna enfants, à tous les âges...

... Que Dieu veuille encore...

Mais c'était surtout Anna que le commissaire étudiait. Il ne se tenait pas encore pour battu. Il espérait quelque chose, sans savoir quoi au juste.

Un vrai trouble, en tout cas ! Peut-être un mouvement convulsif des lèvres ? Peut-être des larmes ? Peut-être même un départ précipité...

Le premier couplet s'acheva sans que rien de pareil se fût produit et Machère murmura à l'oreille du commissaire :

« On reste encore longtemps ?

— Quelques minutes... »

Pendant ce bref échange de paroles, Anna les regarda par-dessus la table, comme pour s'assurer qu'un danger ne se préparait pas pour elle.

... pour ne plus me quitter...

174

Et tandis que le dernier accord résonnait encore, Mme Peeters murmurait, sa tête blanche toujours penchée sur son ouvrage :

« Je n'ai jamais souhaité de mal à personne, mais je répète que Dieu sait ce qu'il a à faire !... Est-ce que cela n'aurait pas été malheureux que ces enfants... »

Elle n'acheva pas, parce qu'elle était trop émue. Elle écrasa une larme sur sa joue avec le bas qu'elle était occupée à tricoter.

Et Anna restait impassible, le regard braqué sur le commissaire, Machère s'impatientait.

« Allons !... Vous m'excuserez de vous quitter brusquement, mais mon train est à sept heures et... »

Tout le monde se levait. Joseph ne savait où regarder. Machère bafouillait, trouvait enfin la phrase qu'il cherchait, ou quelque chose d'approchant.

« Je suis désolé de vous avoir soupçonnés... Mais avouez que les apparences... Et si ce marinier n'avait pas pris la fuite...

— Tu reconduis ces messieurs, Anna ?

— Oui, mère... »

Si bien qu'ils ne furent que trois à traverser l'épicerie. La porte en était fermée à clef, car on était dimanche. Mais une lampe brûlait en veilleuse, mettait des reflets sur les plateaux de cuivre de la balance.

Machère serra la main de la jeune fille avec empressement.

« En vous demandant encore pardon... »

Maigret et Anna restèrent quelques secondes debout l'un en face de l'autre et Anna balbutia enfin :

« Soyez tranquille... Je ne resterai pas ici... »

Dans la nuit du quai, Machère parlait sans arrêt, mais Maigret n'entendait que des bribes de son discours.

« ... du moment que le nom du coupable est connu, je rentrerai demain à Nancy...

— Qu'est-ce qu'elle a voulu dire ? songeait le commissaire. *Je ne resterai pas ici...* Est-ce qu'elle aura vraiment le courage... ? »

Il regarda la Meuse où les becs de gaz alignaient de cinquante en cinquante mètres des reflets déformés par le flot. Une lumière plus vive, de l'autre côté du fleuve, dans la cour de l'usine où, cette nuit encore, le vieux Piedbœuf apporterait des pommes de terre qu'il cuirait sous la cendre.

On passa devant la ruelle. Il n'y avait pas de lumière dans la maison.

11

LA FIN D'ANNA

« Tu as réussi ton affaire ? »

Mᵐᵉ Maigret s'étonnait de voir son mari de si méchante humeur. Elle tâtait le pardessus qu'elle venait de l'aider à retirer.

« Tu as encore circulé sous la pluie... Un jour, tu attraperas des douleurs et tu seras bien avancé !... Qu'est-ce que c'était, cette histoire-là ?... Un crime ?...

— Une affaire de famille !

— Et la jeune fille qui est venue te voir ?

— Une jeune fille ! Donne-moi mes pantoufles, veux-tu ?

— C'est bon ! je ne te demanderai plus rien ! Du moins à ce sujet. Tu as bien mangé, au moins, à Givet ?

— Je ne sais pas... »

C'était vrai ! Il se souvenait à peine des repas qu'il avait faits.

« Devine ce que je t'ai préparé ?

— Des *quiches* ! »

Ce n'était pas difficile à deviner, étant donné que toute la maison en était parfumée.

« Tu as faim ?

— Oui, ma chérie... En tout cas, j'aurai faim tout à l'heure... Raconte-moi ce qui s'est passé ici... A propos, l'affaire des meubles est arrangée... »

Pourquoi, en regardant sa salle à manger, fixait-il toujours un même angle, où il n'y avait rien ? Il ne s'en rendit pas compte lui-même jusqu'au moment où sa femme lui dit :

« Tu as l'air de chercher quelque chose ! »

Alors, à haute voix, il s'écria :

« Parbleu ! Le piano...

— Quel piano ?

— Rien ! Tu ne peux pas comprendre... Tes quiches sont étonnantes...

— Ce serait bien la peine d'être Alsacienne pour ne pas savoir préparer des quiches... Seulement, si tu continues, tu ne m'en laisseras même pas un morceau... A propos de piano, les gens du quatrième... »

*
* *

Un an plus tard, Maigret pénétrait dans une maison d'exportation de la rue Poissonnière à la suite d'une affaire de faux billets de banque.

Les magasins étaient vastes, bourrés de marchandises, mais les bureaux étaient exigus.

« Je vais vous faire apporter le faux billet que

178

j'ai découvert dans une liasse... » dit le patron en appuyant sur un timbre.

Maigret regardait ailleurs. Il aperçut vaguement une jupe grise qui s'approchait du bureau, des jambes gainées de coton. Puis il leva la tête, resta un moment immobile à regarder le visage penché sur le bureau.

« Je vous remercie, mademoiselle Anna... »

Et, comme le commissaire suivait l'employée du regard, le négociant expliqua :

« Elle a un peu l'air d'un dragon... Mais je vous souhaite une secrétaire comme celle-là !... Elle remplace exactement deux employés. Elle fait tout le courrier et elle trouve encore le temps d'assumer la tâche de comptable...

— Il y a longtemps que vous l'avez ?

— Une dizaine de mois.

— Elle est mariée ?

— Ah ! non. C'est son péché mignon : une haine mortelle, qui s'étend à tous les hommes... Un jour, un collègue qui était venu me voir a tenté, en riant, de lui pincer la taille... Si vous aviez vu le coup d'œil qu'il a reçu...

« Elle arrive le matin à huit heures, parfois avant... Le soir, c'est elle qui ferme les portes... Elle doit être étrangère, car elle a un léger accent...

— Vous permettez que je lui dise quelques mots ?

— Je vais l'appeler.

— Non ! C'est dans son bureau que je voudrais... »

Et Maigret franchit une porte vitrée. Le bureau donnait sur une cour encombrée de camions. Et toute la maison semblait subir la trépidation du flot d'autobus et d'autos déferlant dans la rue Poissonnière.

Anna était calme, comme tout à l'heure quand elle se penchait sur son patron, comme Maigret l'avait toujours connue. Elle devait maintenant avoir vingt-sept ans, mais elle en paraissait plutôt trente, car son teint n'avait plus la même fraîcheur, ses traits s'étaient fanés.

Dans deux ou trois ans, elle n'aurait plus d'âge. Dans dix ans, ce serait une vieille femme !

« Vous avez des nouvelles de votre frère ? »

Elle détourna la tête sans répondre, tout en maniant machinalement un buvard à bascule.

« Il est marié ? »

Elle se contenta de faire un signe affirmatif de la tête.

« Heureux ? »

Alors les larmes que Maigret attendait depuis si longtemps jaillirent, en même temps que la gorge se gonflait, et elle lui lança, comme si elle l'eût rendu responsable de tout :

« Il s'est mis à boire... Marguerite attend un bébé...

— Ses affaires ?

— Son cabinet ne rapportait rien... Il a dû

180

accepter une place à mille francs par mois à Reims... »

Et elle se tamponna les yeux de son mouchoir, à petits coups secs, rageurs.

« Maria ?

— Elle est morte, huit jours avant de prendre le voile... »

La sonnerie du téléphone retentit et c'est d'une voix changée qu'Anna répondit en approchant un bloc-notes de sa main :

« Oui, monsieur Worms... C'est entendu... Demain soir... J'envoie un câble à l'instant même... A propos du chargement de laine, je vous adresse une lettre contenant quelques observations... Non ! je n'ai pas le temps... Vous la lirez... »

Elle raccrocha. Son patron était sur le seuil, la regardant et regardant Maigret tour à tour.

Le commissaire revint dans le bureau voisin.

« Qu'est-ce que vous en dites ?... Et je ne vous ai pas parlé de son honnêteté !... A ce point-là c'est presque de la bêtise...

— Où habite-t-elle ?

— Je ne sais pas... Ou plutôt je ne connais pas son adresse, mais je sais que c'est dans une maison meublée pour femmes seules, tenue par une œuvre quelconque... Mais... Dites donc ! Vous commencez à me faire peur... Ce n'est pas dans l'exercice de vos fonctions que vous l'avez connue, au moins ?... Car ce serait un peu inquiétant...

— Ce n'est pas dans l'exercice de mes fonctions ! répondit lentement Maigret. Nous disions donc que vous avez découvert ce billet dans une liasse de... »

Il tendait l'oreille aux bruits du bureau voisin où une voix de femme disait au téléphone :

« Non, monsieur, il est occupé ! C'est mademoiselle Anna qui est à l'appareil... Je suis au courant... »

On n'eut jamais de nouvelles du marinier.

TABLE

OUVRAGES DE GEORGES SIMENON
AUX PRESSES DE LA CITÉ (suite)

« TRIO »

PRESSES POCKET

A LA N.R.F.

ÉDITION COLLECTIVE SOUS COUVERTURE VERTE

MÉMOIRES

Achevé d'imprimer en mai 1985
sur les presses de l'Imprimerie Bussière
à Saint-Amand (Cher)

— N° d'édit. 1295. — N° d'imp. 1478. —
Dépôt légal : 1er trimestre 1978.

Imprimé en France